Antes de uma empresa falir, a mente de seus executivos entra em colapso.

Antes de profissionais liberais serem excluídos do mercado, a mente deles se engessa.

Antes de casais implodirem seu romance, suas emoções entram em decadência.

Antes de jovens asfixiarem seus sonhos, eles se tornam escravos do consumismo e dos seus traumas.

A gestão da emoção é fundamental.

É endereçada a você.

Dedico este livro a

_____

_____ , ____ / ____ / ____

AUGUSTO CURY

GESTÃO DA EMOÇÃO

Técnicas de *coaching emocional* para gerenciar a ansiedade, melhorar o desempenho pessoal e profissional e conquistar uma mente livre e criativa

Benvirá

Copyright © Augusto Cury, 2015

Preparação Augusto Iriarte
Revisão Laila Guilherme e Maria Fernanda Álvares
Diagramação Caio Cardoso
Capa Graziella Iacocca
Imagem de capa a_Taiga/Thinstock
Impressão e acabamento Edições Loyola

Dados Internacionais de Catalogação na Publicação (CIP)
Angélica Ilacqua CRB-8/7057

Cury, Augusto
  Gestão da emoção : técnicas de coaching emocional para gerenciar a ansiedade, melhorar o desempenho pessoal e profissional e conquistar uma mente livre e criativa / Augusto Cury. – São Paulo : Saraiva, 2015.
  200 p.
  ISBN: 978-85-8240-260-3
  1. Emoções 2. Inteligência emocional 3. Autodomínio 4. Autorrealização 5. Controle (Psicologia) I. Título

15-0931
CDD 152.4
CDU 159.942

Índices para catálogo sistemático:
  1. Emoções e sentimentos - Controle

1ª edição, 2015 | 23ª tiragem, **setembro de 2023**

Nenhuma parte desta publicação poderá ser reproduzida por qualquer meio ou forma sem a prévia autorização da Saraiva Educação. A violação dos direitos autorais é crime estabelecido na lei n. 9.610/98 e punido pelo art. 184 do Código Penal.

Todos os direitos reservados à Benvirá, um selo da Saraiva Educação.
Av. Paulista, 901, 4º andar
Bela Vista - São Paulo - SP - CEP: 01311-100

SAC: sac.sets@saraivaeducacao.com.br

CÓDIGO DA OBRA 11946   CL 670297   CAE 568038

Sumário

Prefácio 7

1 | *Coaching* e psicoterapia: dois mundos tão próximos
e tão distantes 13

2 | MegaTGE: Reeditar e reconstruir a memória –
Reciclando o lixo psíquico 23

3 | A inveja sabotadora e a inveja espelho na formação
da personalidade 29

4 | MegaTGE: Desarmar as armadilhas mentais para
construir relações sociais saudáveis 35

5 | Funções cognitivas e socioemocionais: a educação
que transforma a humanidade 41

6 | MegaTGE: Construir a felicidade inteligente
e a saúde emocional 57

7 | O *coaching* na história: o Império Romano 73

8 | MegaTGE: Saúde emocional –
Mapeamento dos fantasmas mentais e superação de conflitos.... 81

9 | A mente de sociopatas e a péssima gestão da emoção:
o exemplo de Adolf Hitler 93

10 | MegaTGE: Sustentabilidade das empresas –
Crescendo com a crise 107

11 | O pensamento e a consciência: a última
fronteira da ciência 113

12 | Os três tipos de pensamento: as bases
da gestão da emoção 123

13 | MegaTGE: Formar líderes –
Mentes empreendedoras e inovadoras 135

14 | O funcionamento da mente e as bases da
gestão emocional: a memória 147

15 | MegaTGE: Proteger a emoção 159

16 | A gestão da emoção e o importantíssimo índice GEEI 167

17 | MegaTGE: Gerir os comportamentos que promovem
o índice GEEI 177

Prefácio

Nesta obra, vou apresentar, provavelmente, o primeiro programa mundial de gestão da emoção. Em uma sociedade altamente competitiva e em constante mudança tecnológica como a nossa, se você não souber gerir sua emoção, será quase impossível viver sem se acidentar, se estressar e esgotar o cérebro. Sobreviver com competência torna-se uma arte difícil. Sem aprender a gerir minimamente a mente, ser bem-sucedido no campo profissional, social ou afetivo, bem como na educação de filhos e alunos, é uma utopia. Só é eficiente quem aprende a ser líder de si mesmo, ainda que intuitivamente: tropeçando, traumatizando-se, levantando-se, interiorizando-se, reciclando-se. Por isso é necessário aprender as técnicas mais modernas de gestão da emoção de forma inteligente, por meio de complexos e efetivos treinamentos.

Sinto que é preciso provocar um choque de lucidez, aprofundamento e embasamento sobre o funcionamento da mente. Tenho milhões de leitores em diversos países e, com humildade, alegro-me em saber que sou lido não apenas por médicos, psicólogos, sociólogos e educadores, mas também por pessoas interessadas em educar seu Eu para gerenciar os pensamentos, proteger a emoção, desenvolver habilidades socioprofissionais – capacidades que dependem de treinamentos educacionais sofisticados. Quando falo sobre gestão da emoção, não me refiro ao livro *Inteligência emocional*, do psicólogo norte-americano Daniel Goleman, nem a seus estudos; refiro-me, sem nenhuma ostentação, aos estudos extraídos diretamente da minha Teoria da Inteligência Multifocal, que desenvolvo desde 1984. Ela engloba os fenômenos da inteligência emocional e vai muito além.

Gestão da emoção é o alicerce de todos os tipos de *coaching*: desempenho profissional e pessoal (*life coaching*), gestão de pessoas, gestão de carreira, inteligência financeira, otimização do tempo, construção de relacionamentos.

Sem a gestão da emoção, nenhum dos demais treinamentos tem sustentação. Sem liderar o mais rebelde, fascinante e importante dos mundos, a emoção, não é possível dar musculatura ao pensamento estratégico, à arte de negociar, à habilidade de se reinventar e ser proativo. Sem gerir a emoção, as habilidades para resolver conflitos nas empresas, nas salas de casa e de aula ficam asfixiadas.

A gestão da emoção depende da gestão do pensamento. São duas gestões que completam o gerenciamento global da mente humana ou psique. A gestão da mente depende diretamente da gestão de comportamentos que desgastam ou poupam energia cerebral. Muitas pessoas são consumidores responsáveis, compram produtos de qualidade, dentro do prazo de validade e que cabem no orçamento, mas e quanto ao consumo emocional, elas são responsáveis? Raramente.

Não poucos médicos, psicólogos, *coaches*, educadores, juristas, executivos e tantos outros profissionais pecam gravemente no que diz respeito ao consumo emocional responsável. Compram o que não lhes pertence, como atritos, críticas, discussões, calúnias, frustrações. Sua emoção é terra de ninguém. São especialistas em estressar seu cérebro, aumentar o índice de gasto de energia emocional inútil (GEEI). Você é um especialista em preservar seu cérebro ou em estressá-lo?

Antes de uma empresa falir, a mente de seus executivos entra em colapso. Antes de profissionais liberais serem excluídos do mercado, a mente deles se engessa. Antes de casais implodirem seu romance, suas emoções entram em decadência. Do mesmo modo, antes de as pessoas desenvolverem doenças psicossomáticas, sua psique e seu corpo gritam por socorro, porém não são ouvidos. E, antes de falharem na formação de filhos e alunos, pais e professores atuam como meros manuais de regras, e não como estimuladores da arte de pensar.

Muitos consomem produtos emocionais que contaminam seu prazer de viver, seu equilíbrio e sua felicidade inteligente. Creio que você, leitor, ficará chocado ao entender que ser feliz não significa necessariamente ser alegre. A felicidade inteligente é sustentável e profunda, muito diferente daquela que a maioria das pessoas procura – e que é insustentável.

Sem gestão emocional, os invernos psicossociais poderão ser prolongados e intensos, e as primaveras, curtas e instáveis. O desafio do Eu como gestor psíquico é alongar as primaveras e minimizar os invernos inevitáveis de nossa bela e complexa existência.

Muitos amam o perfume das flores, contudo não têm coragem nem habilidade para sujar as mãos para cultivá-las. As técnicas do mais abrangente e complexo dos *coachings*, o Programa de Gestão da Emoção, nos habilitarão a sair da passividade, a sujar nossas mãos para sulcar o solo de nossa mente, e nos transformarão em jardineiros que cultivam uma mente livre.

Meu Programa de Gestão da Emoção é constituído de inúmeras técnicas fundamentais para conquistar uma mente livre e uma emoção saudável, construir relações inteligentes e aprimorar o desempenho profissional e as habilidades pessoais. As Técnicas de Gestão da Emoção (TGEs) aqui expostas, portanto, são essenciais não só para os profissionais das mais diversas áreas, como também para a saúde psíquica das pessoas de todas as idades.

Desconhecer as TGEs é deixar a aeronave mental sem instrumento de navegação, com altíssimo risco de acidente. Sua aeronave mental tem leme? Não se preocupe se sua resposta for negativa. Hoje, o normal é sofrer por antecipação, remoer frustrações e mágoas, ser ansioso, irritadiço, impaciente, desprotegido emocionalmente, e, infelizmente, o anormal é ser líder de sua própria psique.

Espero que este livro e as amplas técnicas que estudaremos contribuam para que, no final, você faça parte do pequeno time dos "anormais". Conhecer as Técnicas de Gestão da Emoção requer uma espécie de ginástica cerebral para abrir a mente e estudar a última fronteira da ciência – os fenômenos básicos que constroem pensamentos e capacitam o Eu como diretor do *script* da própria história. A vida é um grande teatro a céu aberto, e aposentar o cérebro é deixar de atuar no palco, abster-se de exercitar a inteligência socioemocional e se plantar na plateia como espectador passivo de suas mazelas.

Há muitas nações, como a nossa, que têm alguns líderes políticos e empresariais envolvidos em corrupção, e, consequentemente maculando e contaminando a sociedade. Mas nós temos que crer em nosso país, apesar desses líderes que têm a necessidade neurótica de poder. Até porque, no máximo, 0,1% das pessoas é infiel à sua consciência e se corrompe. A grande maioria é honesta, ética e generosa. Tomando o exemplo da nossa nação, o maior estrago que se fez não foi o comprometimento dessa megaempresa chamada Petrobras, mas a destruição dos sonhos no inconsciente coletivo, sobretudo da nova geração.

Precisamos nos levantar e proclamar, dentro e fora de nós: eu acredito no meu país, eu vou crescer na crise, eu vou me reinventar para reescrever os capítulos mais nobres da minha vida, da minha carreira, da minha empresa e da minha nação nos dias mais dramáticos da minha existência. Os que se corromperam, se tiverem coragem de mapear os seus fantasmas mentais, poderão reciclar os seus erros e dar o melhor de si para repará-los. Errar é humano, persistir no erro é inumano.

Não faz muito tempo, em uma de minhas conferências, um jovem comentou comigo que queria destruir a sua vida e a das pessoas corruptas, porque estava tão desanimado e deprimido que não acreditava mais no Brasil. Eu lhe disse: "Se você aprender a gerir a emoção, você vai fazer a diferença no teatro social. Nunca agrida quem te agride, jamais retroalimente a violência, mas entenda que ninguém é digno do pódio se não utilizar as suas lágrimas, as suas perdas e frustrações para alcançá-lo. O país precisa de você e de milhões de jovens que têm uma mente livre e uma emoção saudável; seres humanos que sejam apaixonados pela sociedade e também pela humanidade".

Recordo-me que, após outra conferência, nos Estados Unidos, um assessor de um dos grandes políticos da atualidade me indagou: "Por que você ainda mora no Brasil, já que é publicado em mais de 70 países?". A resposta, que parece tão difícil, é na verdade singela. Reitero: eu acredito no meu país.

1

Coaching e psicoterapia: dois mundos tão próximos e tão distantes

Pode-se dirigir uma companhia com milhares de funcionários e, ao mesmo tempo, ser incapaz de dirigir com a mínima maturidade a mais complexa das empresas, a única que não pode falir: a mente humana. Pode-se ser um multimilionário, empreender e saber ganhar dinheiro como poucos e, ainda assim, mendigar o pão da alegria e da tranquilidade. Há muitos mendigos que moram em palácios.

Pode-se ser um intelectual com artigos publicados em todo o mundo mas não saber ser contrariado, viver ansioso e frustrado, enfim, estar na infância da gestão emocional. Pode-se ser um médico, um psiquiatra ou um psicólogo que contribui com seus pacientes e não saber filtrar os próprios estímulos estressantes e fazer da própria psique uma terra de ninguém.

Educar o Eu para exercer seus papéis vitais como líder da psique; equipar e proteger a emoção para ser saudável, profunda, estável, contemplativa; administrar os pensamentos para aquietar a ansiedade; e libertar a criatividade são alguns dos elementos que constituem o mais notável de todos os treinamentos, o *coaching* emocional.

A gestão da emoção é a base de todos os treinamentos psíquicos: profissional, educacional e interpessoal. Ela pode, inclusive, contribuir muito para o melhor desempenho de atletas. Como já comentei com esportistas de renome mundial, o jogo se ganha primeiro na mente.

Uma pessoa rígida, impulsiva, tímida, fóbica, pessimista, ansiosa pode bloquear seu desempenho mais do que tem consciência. A emoção, como veremos, está não somente na base do registro da memória, mas também na abertura ou no fechamento das janelas da memória, impedindo o Eu de acessar milhões de dados numa situação estressante, o que compromete o raciocínio global.

Com isso, infere-se, por exemplo, que um estudante aplicadíssimo, que sabe de cor e salteado a matéria de uma prova, pode não conseguir acessar todo o corpo de informações num determinado bloco de tempo em que está tenso e, desse modo, ter um péssimo rendimento. Treinar e proteger a emoção é primordial. Mas quem sabe protegê-la? Em que escola secundária ou universidade os alunos são educados para filtrar estímulos estressantes e poupar os recursos do cérebro?

Há muitas armadilhas em nossa mente. Por ser vítima delas, a grande maioria dos seres humanos levará seus conflitos para o túmulo. Todos querem mudar as características doentias de sua personalidade, sem saber que elas são imutáveis. É possível, no entanto, reeditar as janelas da memória ou construir novas plataformas de janelas saudáveis, que chamo de "núcleos de habitação do Eu". Os segredos da personalidade estão guardados na memória. É por esse motivo que uma doença degenerativa como o mal de Alzheimer causa uma desorganização grave na memória e, consequentemente, na maneira de uma pessoa ser, pensar, reagir, interpretar. Prevenir o Alzheimer passa não só por irrigar o metabolismo cerebral, como também por estimular o universo da cognição: o resgate de dados da memória, o raciocínio, a criatividade, o pensamento crítico. Do ponto de vista cognitivo, as Técnicas de Gestão da Emoção podem ser fundamentais.

Como?

1) Provocando a memória através de jogos, como xadrez, damas, cartas; 2) estimulando a socialização através de atividades físicas; 3) desenvolvendo o altruísmo e participando de atividades filantrópicas como um agente atuante, e não como um investidor passivo; 4) refinando a arte de contemplar o belo; 5) realizando atividades lúdicas e prazerosas que fomentam o sentido da vida e a motivação de viver, como reuniões, debates, escrita e pintura.

A televisão tem sua utilidade para entreter e informar, mas colocar-se como um espectador passivo por horas a fio diariamente, como milhões de pessoas fazem, é um modo notável de sepultar a memória e o raciocínio, com sérios riscos cognitivos. Aposentar a mente, como veremos, compromete as finíssimas tarefas de acessar a memória e construir cadeias de pensamentos. Muitos aposentam a própria mente anos ou décadas antes de se aposentarem do trabalho; desenvolvem um raciocínio preguiçoso, bem como percepção, intuição criativa, imaginação e consciência crítica limitadas e lentas.

Embora o tempo seja um carrasco do corpo e inevitavelmente o debilite, sob o enfoque da gestão da emoção há uma área em que jamais deveríamos envelhecer: o território da emoção. As TGEs podem nos estimular a ser eternamente jovens, nutrindo a curiosidade, a proatividade, a aventura, a motivação e os sonhos.

Todavia, se não irrigada ou estimulada adequadamente, a emoção pode envelhecer rapidamente, desobedecendo à cronologia. É gravíssimo que jovens com 20 anos de idade apresentem sintomas de falência emocional ou velhice intrapsíquica, como se observa hoje. Os sintomas mais comuns desse quadro são a dificuldade de tomar iniciativa, de agradecer, de se motivar, a necessidade de reclamar, de querer tudo rápido e pronto, isto é, o imediatismo no alcance das metas e o desprazer no processo para atingi-las. Há jovens com idade cronológica de 20 anos – plugados em celulares e *games* – e idade emocional de 80, e indivíduos com um corpo de 80, mas com idade emocional de 20 – extremamente entusiasmados e dinâmicos. Qual é sua idade emocional?

Ao longo de mais de 30 anos, tenho estudado e produzido conhecimento sobre o processo de construção de pensamentos e de formação da consciência existencial. Para ter uma ideia da complexidade desse processo, você, ao ler um parágrafo desta obra, inconscientemente dispara um fenômeno chamado de "gatilho da memória", que abre milhares de janelas ou arquivos para checar milhões de dados e por fim entender cada pronome, substantivo e verbo inserido em cada uma das frases. Esse processo cognitivo é espantosamente espetacular, embora não o percebamos.

Fundamentado nesse sólido período de estudo e teorização, estou convicto da gravidade de aposentar a mente. Aposentar a mente é pouco a pouco deixar de estimulá-la, irrigá-la, fomentá-la, provocá-la, podendo asfixiar a imaginação, a interpretação, a fluência das ideias, enfim, o raciocínio complexo.

Questões fundamentais

Uma pergunta fundamental que todos devem fazer: onde termina o *coaching* e onde se inicia a psicoterapia, ou vice-versa? Como participante na banca examinadora que avalia teses de mestrandos e doutorandos em *coaching* na Florida Christian University (FCU) ou como conferencista sobre novas modalidades de *coaching* ao lado de líderes mundiais da área, tenho procurado deixar claro aos alunos que deve haver uma divisão nítida entre *coaching* e psicoterapia.

Muitos profissionais não compreendem essa importante linha divisória. A própria psicologia e não poucos centros de *coaching* confundem a atuação voltada à melhoria do desempenho pessoal e profissional com a atuação psicoterapêutica, e isso traz riscos para os clientes. Espero trazer luz a essa área.

A gestão da emoção promove os mais diversos tipos de treinamento, com destaque para os voltados às habilidades intelectuais, pessoais e profissionais, enquanto a psicoterapia trata dos conflitos que asfixiam essas habilidades; a gestão da emoção equipa o Eu para ser líder de si mesmo, ao passo que a psicoterapia trata das armadilhas mentais que encarceram essa liderança; a gestão da emoção leva o espectador a desempenhar com eficiência seus papéis no palco social e empresarial, e a psicoterapia desata as algemas que prendem o espectador à plateia; a gestão da emoção estimula o indivíduo a construir janelas light (saudáveis) no córtex cerebral, enquanto a psicoterapia o conduz a reeditar janelas killer (conflitantes).

Ferramentas inteligentes de gestão da emoção podem prevenir transtornos psíquicos e sociais; já ferramentas inteligentes da psicoterapia, independentemente da teoria utilizada, atuam nos transtornos mentais já instalados. O *coach* (treinador ou técnico) não deve, portanto, atuar como psicoterapeuta, pois essa é tarefa de profissionais de saúde mental, como psiquiatras e psicólogos clínicos, embora o psicoterapeuta possa, se equipado, atuar como *coach* e trabalhar todas as importantíssimas Técnicas de Gestão da Emoção expostas nesta obra.

Doenças psíquicas, como depressão, anorexia, bulimia, síndrome do pânico, psicose, e doenças psicossomáticas devem ser tratadas por especialistas. Algumas técnicas de *coaching* podem aliviar transtornos mentais mais simples, como depressão leve, determinadas fobias e bloqueios. Diante desse sucesso, praticantes dessas técnicas iludem-se, acreditando que estão preparados para atuar sobre as doenças psíquicas. Não sabem ou esquecem que também placebos (substâncias não psicoativas ou "mentiras químicas") aliviam algumas doenças emocionais só pelo fato de os pacientes sentirem que estão sendo tratados, acolhidos, amparados.

Como psiquiatra e psicoterapeuta, fiz mais de 20 mil atendimentos. Sei que tratar de doenças exige o máximo de seriedade e preparo devido aos riscos de agravamento, às consequências emocionais, às sequelas sociais e profissionais.

Para termos uma ideia da seriedade do tema, mesmo psiquiatras e psicólogos clínicos experientes, ao tratarem de pacientes depressivos com agitação mental e insônia, podem levá-los a correr sérios riscos de vida se não perceberem, por exemplo, o potencial suicida que tais pacientes eventualmente apresentem, ou ainda se não entenderem que, paralelamente às técnicas psicoterapêuticas, os pacientes precisam ser medicados para que os níveis de ansiedade sejam abrandados e a performance do sono seja melhorada, pois uma mente ansiosa tem baixo limiar para frustração e resiliência debilitada.

Assim, é fundamental conhecer e respeitar com ética e inteligência os limites entre o *coaching* e a psicoterapia. A grande linha divisória é a presença de sintomas psíquicos e psicossomáticos, como humor depressivo, ansiedade intensa, insônia, ataques de pânico, fobia social, rituais obsessivos, confusão mental, anorexia, dores de cabeça, gastrite, hipertensão de fundo emocional.

Um casamento perfeito

A psicoterapia e o *coaching* se unem no Programa de Gestão da Emoção, produzindo um casamento perfeito para contribuir com o desempenho socioemocional. Ambos os profissionais, psicoterapeuta e *coach*, poderiam, em casos específicos, atuar juntos. Todavia, entre promover habilidades e tratar doenças psíquicas, há mais mistérios do que imagina nossa conflitante ciência, embora em diversos casos as duas áreas se sobreponham no psiquismo. Os dois profissionais deveriam saber claramente seus papéis, apropriar-se das mais notáveis técnicas e adotar um comportamento ético para encaminhar os clientes um ao outro quando necessário.

Infelizmente, nem a psicoterapia nem o *coaching* são profissões regulamentadas no Brasil, o que dificulta o processo de aprendizado, treinamento e formação. De qualquer modo, considero que quem exerce o *coaching*, em especial a gestão da emoção, deveria ter uma sólida formação acadêmica, de preferência nas áreas de ciências humanas, como psicologia, filosofia, sociologia, mas não necessariamente.

Conheço engenheiros e administradores competentes que foram sistematicamente treinados e se tornaram notáveis treinadores.

O *coach* tem de saber que é não somente um treinador, mas também um eterno aprendiz. Quem não se recicla constantemente se torna estéril. A autossuficiência é um câncer para a continuidade do crescimento. Seria desejável que psicólogos se tornassem bons *coaches*, contudo muitas faculdades de psicologia ainda estão "dormindo em berço esplêndido" quanto a promover especialistas nessa crescente área.

Não é por não atuar no âmbito da psicoterapia que o *coaching* tem um trabalho psicológico reduzido, apequenado, diminuto. Ao contrário: se considerarmos o Programa de Gestão da Emoção, a atuação do *coaching* é extensa, riquíssima e promissora para expandir o *Homo sapiens* em pelo menos 15 fabulosas áreas:

1. eficiência socioprofissional;
2. reciclagem de falsas crenças;
3. descaracterização de paradigmas limitantes;
4. ruptura com o cárcere do conformismo;
5. capacidade de reinventar-se nas crises;
6. promoção do raciocínio complexo e do pensamento estratégico;
7. liderança e gestão de pessoas;
8. expansão do potencial criativo;
9. habilidade de pensar antes de reagir;
10. empatia;
11. carisma;
12. relações saudáveis;
13. formação de pensadores;
14. fomento da resiliência;
15. prevenção de transtornos psíquicos.

O Programa de Gestão da Emoção ainda pode e deve equipar o Eu para ser um consumidor emocional responsável, um investidor solene em qualidade de vida. Todo treinador e cliente deve ter cumplicidade, confiabilidade estreita, transparência mútua. Nenhum treinamento é cirúrgico, rapidíssimo, miraculoso, ainda que determinadas habilidades simples, como expressar ideias em público, possam ser incorporadas pelo Eu com maior facilidade.

Conforme veremos adiante, um dos motivos que impedem o resultado rápido, tanto da psicoterapia quanto do *coaching*, é a impossibilidade de deletar a memória, apagar os arquivos doentios, ou as janelas killer, que contêm conflitos, fobias, impulsividade, autopunição, culpa. Não há heróis nem ditadores que mandam e desmandam na memória. Todos somos pequenos aprendizes.

Se pudesse, quem você deletaria?

A única possibilidade de apagar a memória é através de injúria física ou de processos mecânicos, como tumor cerebral, doença degenerativa, trauma craniano, acidente vascular. O Eu, portanto, nunca extingue os traumas; contudo, tem a capacidade magistral de reeditar as janelas traumáticas ou construir plataformas de janelas saudáveis (light) e, consequentemente, transformar as características doentias de personalidade. Não se assuste: discorreremos sobre esses temas em momento oportuno.

Se fosse possível apagar da memória as pessoas que o feriram ou o frustraram, quem você apagaria? Quem varreria da sua memória?

Se tivesse esse perigoso e poderoso poder, você hoje deletaria pessoas mais distantes que o machucaram e, amanhã, machucado por sua esposa, marido, filhos ou amigos, poderia deletá-los também. Nesse caso, eles simplesmente deixariam de existir para você, que passaria a viver uma amnésia fatal. E, no futuro, decepcionado consigo mesmo, seu Eu poderia se autopunir a tal ponto que deletaria os arquivos que estruturam sua própria identidade, apagando os milhões de dados que alicerçam sua capacidade de escolha e sua consciência crítica. Você teria uma deficiência mental gravíssima e voltaria a ser um bebê no corpo de um adulto.

Diante dessa exposição, você gostaria de ter a liberdade de apagar sua memória? A gestão da emoção, por ser baseada no funcionamento da mente e nos papéis conscientes e inconscientes da memória, convida os seres humanos a não reclamar se o Eu não tiver ferramentas para apagar os fantasmas do passado. É muito melhor aprender a domesticá-los do que apagá-los. É melhor que a memória fique protegida contra os impulsos imaturos e perigosos do Eu e aprenda a usar a lenta, mas fundamental, ferramenta da reedição das janelas killer ou da construção de novos núcleos light. Nosso cérebro tão frágil agradece a sensatez da gestão da emoção.

Técnicas de Gestão da Emoção: uma introdução

Agora que finalizamos o primeiro capítulo, é importante uma explicação. Cada capítulo deste livro contém Técnicas de Gestão da Emoção. Ao longo dele, apresentarei cada uma delas sinteticamente, discorrendo, no capítulo imediatamente posterior à apresentação, de maneira mais didática e completa.

Frequentemente, as Técnicas de Gestão da Emoção não são simples; ao contrário, são complexas e extensas e, por isso, chamadas de Megatécnicas de Gestão da Emoção (MegaTGE). Uma MegaTGE representa um conjunto de técnicas de gestão que precisam ser aplicadas como um todo para a plena eficácia. Lembre-se de que a emoção é o mais belo e inóspito dos planetas; explorá-lo, dominá-lo e usar seus recursos de forma inteligente é nosso maior desafio – e uma tarefa em que quase todos falhamos grosseiramente.

Algumas Técnicas de Gestão da Emoção que apresentarei dependerão do conteúdo dos capítulos posteriores para seu pleno entendimento. Embora as técnicas possam produzir raro prazer, um nutriente inigualável para o desenvolvimento das complexas habilidades da inteligência socioemocional, exigem-se coragem e inteligência para mapear continuamente nossos fantasmas mentais, bem como foco e disciplina para domesticá-los e usá-los como aliados.

Muitos preservam seus conflitos, incluindo traumas e falsas crenças, durante toda a sua história porque nunca tiveram a ousadia de entrar em camadas mais profundas da própria mente. A necessidade neurótica de ser perfeito impede-nos de dar risada de nossas tolices, de nossa estupidez, de nossas fobias e manias, o que asfixia nossa capacidade de reciclar o lixo psíquico que adquirimos ao longo da vida. Somos ótimos para acumular detritos em nossa mente. Você recicla seus conflitos, desconstrói suas mágoas, abranda suas perdas?

2

MegaTGE: Reeditar e reconstruir a memória – Reciclando o lixo psíquico

TGE 1 – Reeditar janelas traumáticas ou reconstruir janelas saudáveis

Não tente apagar seus medos, seu ciúme, sua mágoa, sua timidez, seu pessimismo ou seu humor deprimido – você só reforçará o que mais detesta e fará com que o fenômeno do Registro Automático da Memória (RAM) sedimente as janelas traumáticas, ou killer.

O *Homo sapiens* não tem como anular os arquivos de sua memória por vontade consciente. Mas ele pode e deve reeditar as janelas killer, enxertando novas experiências nos focos de tensão, ou seja, quando elas estão abertas, patrocinando a claustrofobia, a fobia social, a impulsividade, a ansiedade, a timidez ou o ciúme.

O papel principal do ser humano é dirigir o *script* de sua história, e isso não inclui apagar o passado, mas sim reeditá-lo no presente. A cada crise, renova-se a esperança; a cada frustração, introduzem-se novas ideias; a cada lágrima, irriga-se a sabedoria. Só se muda a história escrevendo outra, e não anulando a anterior.

Reciclar o lixo da memória (pensamentos perturbadores, humor deprimido, timidez e insegurança) no exato momento em que ele aparece é uma atitude inteligentíssima para quem quer gerir a emoção. É surpreendente observar quanto o ser humano é intolerante com o lixo físico e tolerante com o lixo psíquico; não suporta alimentos espalhados pela cozinha, papéis e outros objetos dispersos pela sala ou escritório, porém suporta o lixo que acumula no território da emoção.

Além de reeditar a memória, é importante construir janelas light ao redor do núcleo traumático. Quando a janela killer não está aberta, ou seja, se está fora de uma crise de pânico, de um episódio de fobia, sem sentimento de culpa ou humor deprimido, o Eu atua discutindo e debatendo com seus fantasmas mentais, criticando e indagando o fundamento destes, enfim, dando um choque de lucidez. Desse modo, torna-se um engenheiro de janelas light ao redor do núcleo traumático. Quando entramos nesse núcleo doentio ou killer, quando construímos em sua fronteira arquivos saudáveis, o Eu facilmente retoma seu papel de autor de sua história e gestor de sua emoção.

Essa ferramenta poderosa é praticamente desconhecida ao redor do mundo. Ela se chama "mesa-redonda do Eu". Um Eu que não faz uma mesa-redonda não tem um autodiálogo com os atores que controlam sua mente e, portanto, não saberá jamais dirigi-la. Todas as faculdades, não só as de psicologia, sociologia, pedagogia, bem como as escolas de ensino médio e fundamental, deveriam ensinar a ferramenta mesa-redonda do Eu a seus alunos. Por não estudá-la, a humanidade está adoecendo rapidamente no território da emoção. Vamos discutir melhor esse ponto quando estudarmos os papéis da memória como fundamento da gestão psíquica.

Fazer a mesa-redonda do Eu e/ou reeditar as janelas killer no silêncio de nossa mente são técnicas vitais para sermos líderes de nós mesmos. Elas são fundamentais na psicoterapia, tanto para o tratamento de transtornos emocionais quanto para sua prevenção. Cultivam os jardins da memória e reciclam o lixo psíquico.

Você transforma seu lixo emocional em adubo? Tem sido um jardineiro de janelas saudáveis nos solos da memória?

TGE 2 – Não deletar de sua história as pessoas que o frustraram: dance com elas a valsa da vida com a mente desengessada

Tente apagar seus desafetos. Essa atitude heroica só fará com que eles durmam com você, namorem seu travesseiro e perturbem seu sono. Há pessoas que passam a vida toda tentando varrer da memória as violências que sofreram, os inimigos que as perturbaram, sem nenhuma eficácia. E por que não conseguem? Porque, quanto mais tentam, mais os cristalizam. Por não conhecerem os papéis da memória, tornam-se péssimos gestores de sua mente, frágeis heróis, incapazes de reciclar o lixo psíquico que acumulam.

Na relação com pessoas que nos são íntimas, frequentemente temos a necessidade neurótica de mudá-las. Quem nunca tentou mudar alguém teimoso, complicado ou radical? Quase todos já tentamos – e nos frustramos. Ao entendermos os mecanismos mentais e as técnicas de gestão da mente, compreenderemos que a conta emocional fica mais "barata" se convivermos com as pessoas difíceis sem o compromisso ansioso de transformá-las.

Sentimentos de ódio, raiva, ciúme, inveja, exclusão e vingança tornam os desafetos em nossa mente em gigantes, pois estimulam o fenômeno RAM a arquivá-los como janelas killer, poluindo, em vez de reurbanizar, a paisagem da memória. Ferir a quem nos feriu é um modo de perpetuar a violência e engrandecer quem não merece. Uma mente livre não é uma mente que se livra das pessoas que a ferem, mas sim uma mente que não gravita na órbita delas, uma mente que segue uma trajetória própria. Você tem órbita própria?

Conforme já comentei, a memória humana é inviolável. A não ser que haja injúria física, como um tumor cerebral ou traumatismo craniano, não é possível invadir a mente de alguém e mudá-la. É possível, no entanto, contribuir para que ele mesmo se recicle, porém isso dependerá de outras Técnicas de Gestão da Emoção a ser estudadas.

Se conviver com milhares de animais, você talvez nunca sofra uma frustração sequer; mas se conviver com um único ser humano, cedo ou tarde as frustrações virão. As decepções mais profundas estão ligadas às pessoas que mais amamos, aquelas às quais nos doamos e de quem esperamos o reconhecimento, mas que, muitas vezes, nos respondem de forma reversa, com calúnia, rejeição, crítica injusta e traição. Se quiser sobreviver no teatro social, não tente – eu insisto, não tente – deletar essas pessoas, pois elas continuarão vivas nos bastidores de sua mente, e de maneira privilegiada.

Não se isole! Não se enclausure! Não fique plugado na televisão! Dialogue, participe, troque experiências, seja um engenheiro de janelas light em sua memória, não aposente sua mente! Apesar de o convívio com pessoas ser uma fonte de estresse, nada anima tanto a emoção e irriga tanto a cognição quanto a socialização. É melhor se perturbar com os estresses causados pelos outros do que com os fantasmas que construímos no isolamento social. Aqueles nos decepcionam, estes nos encarceram. Muitos milionários empobrecem e muitas celebridades perdem seu brilho porque não vivem minimamente essa Técnica de Gestão da Emoção.

Você já deve ter ouvido que, por trás de uma pessoa que fere, há sempre uma pessoa ferida. Ninguém faz os outros infelizes se não for, ele mesmo, infeliz. E, ainda que pensemos que os outros programam seu comportamento ferino, não somos obrigados a consumir emocionalmente aquilo que não nos pertence.

Saiba que você também não é perfeito. Por mais ético, transparente e humilde que seja, você, sem que perceba, frustra seus íntimos. Por mais amável que seja, você tampouco corresponde a todas as expectativas deles. Conviver em sociedade exige gestão da emoção, e gestão da emoção exige a arte da tolerância, e a arte da tolerância exige abraçar mais e julgar menos, e não a compulsão de apagar da memória quem nos decepciona.

A saúde emocional nos convida a dançar, com a mente desengessada, a valsa social. Assim irrigamos os jardins da memória, reurbanizamos a paisagem deteriorada e reciclamos o lixo que se acumula nela. Lembre-se sempre: as pessoas radicais são as mais infelizes e ansiosas no teatro social.

3

A inveja sabotadora e a inveja espelho na formação da personalidade

A espécie humana se destaca de milhões de outras espécies pela capacidade de pensar, de ter consciência existencial e de registrar sua história. O impulso de registrar nossas experiências é incontrolável, seja em quadro, escultura, papiro, papéis e, sobretudo, na tábua da mente da próxima geração, ou seja, em nossos filhos e alunos. A educação é a melhor forma de perpetuar e aperfeiçoar a história. A educação é o pensamento vivo, efervescente e pulsante que renova o presente, corrige rotas e coloca o futuro nos trilhos.

O teatro da educação determina que os dois atores principais, educador e educando, cultivem o processo de observação, comunicação, dedicação, deleite de aprender e treinamento contínuo. O aprendiz é seduzido pela maturidade, pela experiência e pela cultura do educador, enquanto o educador é cativado pela curiosidade, pelo desejo de explorar e pela sede de conhecer do aprendiz. No entanto, essas características são raras na educação atual.

Conhecimentos simples, como operar computadores, dirigir máquinas, exigem comunicação clara e práticas constantes, mas não complexas. Já dirigir a mente humana exige processos muito mais complicados e complexos. No campo emocional, características de personalidade simples, como raiva, rejeição, impulsividade, eliminação, negação, são aprendidas com extrema rapidez. Requerem a formação de arquivos mentais sem grande sofisticação. Não necessitam que o Eu seja gestor da emoção, trabalhe perdas, se interiorize, cultive introspecção e reflexões profundas.

Raiva, ódio, gritos, atritos, vingança são atalhos mentais do Eu. Refletem sua atuação superficial através da lei do menor esforço. Toda vez que você ofende, rejeita, é impulsivo ou reage rápida e impensadamente, pega um atalho mental, em vez de abrir múltiplas janelas saudáveis e, assim, elaborar um raciocínio altruísta, tolerante, paciente.

Por outro lado, características de personalidade complexas, como colocar-se no lugar do outro, pensar antes de reagir, ser proativo, generoso, se reinventar em tempos de crise, exigem consciência crítica, reflexões profundas, treinamentos inteligentes, processos sofisticados de aprendizado do Eu. Dependem da lei do maior esforço, da abertura de múltiplas janelas light ou arquivos saudáveis para que se desenvolva um raciocínio complexo. Por exemplo, se você for humilhado publicamente, seu Eu poderá viver a lei do menor esforço. Entrará no centro de algumas janelas killer, cujo volume de tensão fechará milhares de outras janelas, bloqueando a capacidade de elaborar um raciocínio inteligente para superar esse foco de tensão. Como o banco de dados de seu córtex cerebral está em grande parte inacessível, você desenvolverá atalhos mentais. Poderá agredir quem o agrediu, ser golpeado por raiva, ansiedade e sentimento de vingança, ou então se agredirá, se sentirá diminuído, humilhado.

Entretanto, se viver a lei do maior esforço, você terá muito mais chances de gerenciar sua emoção. Ainda que, na fase inicial do processo de humilhação pública, o circuito da memória se feche, seu Eu deixará de ser vítima passiva e confrontará os pensamentos perturbadores e as emoções depressivas. Seu Eu não comprará o que não lhe pertence; usará o caos como oportunidade criativa, pensará antes de reagir e poderá até proclamar que os melhores dias estão por vir.

A gestão da emoção treina o ser humano a não ser vítima de suas mazelas, e sim autor de sua própria história, mesmo que o mundo desabe sobre si. Quem treina seus clientes na magna gestão da emoção não cria nada, apenas lapida a escultura que está oculta na madeira carcomida. O *coach* não constrói algo inexistente, simplesmente dá forma à obra de arte que já existe na argila disforme de seus alunos. O sucesso profissional, pessoal e afetivo pertence sempre ao treinando; os louros pertencem ao aprendiz, não ao mestre.

Duas grandes invejas na história da humanidade

A gestão da emoção procura mitigar, minimizar ou até eliminar a "inveja sabotadora" e expandir e encorajar a "inveja espelho". A inveja espelho é definida como aquilo que uma pessoa não tem mas gostaria de ter, e aquele que deseja crê que tem a capacidade para conquistá-lo e se espelha em quem já conquistou para encorajar o próprio potencial. A inveja sabotadora é definida como aquilo que alguém não tem mas ambiciona ter, e aquele que deseja crê que não tem capacidade para conquistá-lo e procura sabotar quem já conquistou. A inveja espelho promove o desenvolvimento das famílias, das empresas, das cidades, do país; a inveja sabotadora, ao contrário, destrói nações, corporações, sociedades.

A inveja espelho, portanto, é saudável e fundamental no processo de aprendizado. Leva um ser humano, seja filho, aluno, profissional, a se encantar com o sucesso do outro, a tomar este como modelo, a observar as batalhas dele para vencer as próprias lutas, a analisar os mecanismos de superação dele para superar os próprios conflitos e executar as próprias metas e sonhos. A inveja espelho é nutrida pela admiração que os filhos sentem por seus pais, os discípulos por seus mestres, os colaboradores pelos executivos, os leitores pelos escritores.

A inveja sabotadora, ao contrário, é predadora, destrutiva e asfixiante e leva um ser humano a ter asco, raiva e ciúme do sucesso do outro. Ela liberta os fantasmas que estão nos porões do inconsciente; expande o complexo de inferioridade, as mágoas, as frustrações e o sentimento de incapacidade; conduz seu portador a ser predador da pessoa invejada, levando-o de alguma forma a sabotá-la, feri-la, rejeitá-la ou caluniá-la.

No teatro político, a inveja sabotadora é uma verdadeira epidemia; por isso, rarissimamente os opositores aplaudem os acertos da situação. Por isso, em minha opinião, mais de 90% dos políticos de todas as nações são indignos do poder que têm. O poder os infecta, apequena e contamina com mecanismos de sabotagem. Todavia, antes de sabotar sutil ou declaradamente a pessoa invejada, quem é infectado com a inveja sabotadora se autossabota, se autopune, asfixia o próprio desempenho.

Não espere democratas aplaudindo republicanos, ou vice-versa, na política norte-americana; tampouco espere judeus louvando palestinos, ou palestinos exaltando atitudes da política judaica; de maneira mais ampla, não espere pessoas de religiões distintas se curvando umas às outras. E jamais espere cordialidade no mundo acadêmico, isto é, um orientador que dê plena liberdade a seu doutorando e o encoraje a ser livre para criticar suas orientações, a ousar seguir voos solos em sua pesquisa.

A inveja sabotadora frequentemente ocorre entre semelhantes, pessoas próximas ou do mesmo nível socioeconômico e intelectual. Há pesquisas que demonstram que a inveja sabotadora é mais penetrante e disseminada que a inveja espelho. Uma dessas pesquisas é particularmente preocupante: profissionais norte-americanos, quando questionados se prefeririam ganhar 50 mil dólares por ano enquanto seus colegas ganhariam menos do que eles, ou ganhar 200 mil dólares anuais enquanto seus colegas ganhariam muito mais do que eles, responderam que optariam pela primeira situação para não terem o dissabor de se ver ultrapassados por seus colegas.

A inveja sabotadora distorce a interpretação da realidade, compromete a racionalidade, contamina a generosidade. Alguns críticos de cinema, teatro e literatura se sentem, muitas vezes de forma inconsciente, como cineastas, atores ou escritores frustrados, o que os leva a gravitar na órbita de janelas killer, que, como disse anteriormente, fecham o circuito da memória, infectando-os com a inveja sabotadora, tornando-os incapazes de fazer um juízo crítico isento de distorções e não tendencioso. Assim, são ferinos nas palavras, não as utilizam para encorajar os que criticam, mas sim para diminuí-los e desanimá-los, dissecam ideias não para debater deficiências e apontar caminhos, mas para apequenar os criticados. São apóstolos da crítica pela crítica.

Se estudarmos a última fronteira da ciência, o mundo onde nascem os pensamentos, nos convenceremos de que a verdade é um fim inatingível, de que o pensamento, incluindo os melhores discursos críticos, não incorpora jamais a realidade do objeto pensado. Portanto, toda crítica é maculada pelo olhar do crítico (quem sou, como estou e onde estou). E ela passa a ser vista como verdade, desestimulando o criticado; é intelectualmente estéril e destrutiva.

Promotores da inveja sabotadora

Muitos executivos, por não inspirarem seus colaboradores, tornam-se ineficientes em produzir a inveja espelho, deixam de ser modelos a serem seguidos e tornam-se peritos em promover a inveja sabotadora entre seus pares ou liderados. São péssimos gestores da emoção. Presidentes e diretores de grandes corporações que não têm habilidade mínima de *coaching* emocional são especialistas em destruir suas empresas a médio e longo prazo. Tentando instigar seus times de gerentes (operacionais, comerciais, de tecnologia da informação), superexaltam os mais capazes e, de maneira subliminar ou mesmo direta, diminuem publicamente os menos eficientes, causando um desastre no inconsciente coletivo, produzindo plataformas de janelas killer que fomentam a inveja sabotadora e asfixiam a inveja espelho.

Humilhar, diminuir e apontar publicamente falhas de colaboradores, filhos, alunos, cônjuges geram traumas inesquecíveis. Estudaremos alguns fenômenos inconscientes que ocorrem nos bastidores da mente humana, porém ressalto previamente que, em cinco segundos, você não é capaz de fazer um discurso, de elaborar um projeto, de fazer uma viagem, mas é capaz de formar janelas killer que podem destruir uma vida. Quem estuda a gestão da emoção sabe que em cinco segundos pode-se mudar uma história para o bem ou para o mal. Nossa espécie sempre foi ingênua por não estudar os mecanismos mentais que a tornam *sapiens*.

Pais que não aprenderam as lições básicas da gestão da emoção tornam-se especialistas em sabotar seus filhos ao criticá-los excessivamente. Alguns cometem um crime educacional ao compararem os filhos entre si, jogando um contra o outro, promovendo fortemente a inveja sabotadora, encorajando-os à competição inumana.

Do mesmo modo, professores, ao usarem estratégias equivalentes – apontando o erro dos alunos e os sentenciando perante a classe –, cometem graves ataques ao psiquismo destes. São promotores do *anticoaching* emocional, que produz núcleos traumáticos que encarceram o Eu de seus educandos. Professores têm de ter a liberdade de colocar limites e chamar a atenção dos alunos, mas não podem esquecer que, para resolver conflitos em sala de aula, deve-se abrir o circuito da memória exaltando quem erra antes de expor o erro, uma poderosa técnica da gestão da emoção.

A gestão da emoção não apenas promove o desempenho das habilidades socioprofissionais, mas também atua como regulador da inveja sabotadora e promotor da inveja espelho. Na era digital em que vivemos, o grande problema é o vazio mordaz de modelos nas empresas, na universidade, na sociedade e na família. Superadmiram-se *smartphones*, *games*, internet, redes sociais, porém não pessoas concretas. Onde estão os modelos?

4

MegaTGE: Desarmar as armadilhas mentais para construir relações sociais saudáveis

TGE 1 – Pensar antes de reagir

Ninguém pode ser um grande estrategista, capaz de elaborar projetos que se sustentem a médio e longo prazo, se reagir por instinto, impulsivamente, se viver aprisionado pelas armadilhas mentais. Pessoas que reagem assim não estão preparadas para dirigir uma empresa ou uma instituição, quanto mais a própria vida. Mas podem se reinventar se aprenderem a gerir sua emoção.

Deveríamos treinar diariamente a habilidade de pensar nas consequências de nossos comportamentos. Aprender a recolher as armas durante os focos de tensão e frustração, a não ser escravo da ditadura da resposta imediata e, acima de tudo, a se dar o direito de pensar antes de reagir é vital para desatar cárceres psíquicos, construir respostas brilhantes e edificar relações saudáveis. Grande parte dos seres humanos tropeça nessa empreitada, incluindo intelectuais e líderes mundiais.

Lendo uma reportagem sobre a corrida presidencial americana de 2016, percebi que um candidato que esperava ser nomeado pelo Partido Republicano, Jeb Bush, tropeçou dramaticamente na TGE que estamos discutindo. Uma jornalista lhe perguntou: "Se soubesse o que sabemos hoje, você autorizaria a invasão ao Iraque?". Foi o irmão de Jeb, George W. Bush, quem patrocinou a invasão e cometeu um desastre internacional, em que milhares de vidas foram ceifadas. Jeb, que foi um governador eficiente da Flórida, não monitorou sua emoção naquele momento e rapidamente respondeu que "sim". E, tenso, para defender sua impulsividade, acrescentou que sua oponente, Hillary Clinton, faria o mesmo.

Ainda que estivesse convencido de sua resposta, Jeb deveria não ter se submetido à ditadura da resposta e dito: "Tomar a decisão de invadir uma nação e provocar uma guerra tem custos existenciais e emocionais altíssimos, sem falar nos financeiros. Não posso lhe dar uma resposta para essa pergunta em poucos segundos". Por, equivocadamente, acreditar que a lentidão em responder não faz parte das características esperadas de um grande líder, muitos não pensam antes de reagir e cometem erros crassos. Pegos de surpresa, às vezes falam até o oposto daquilo em que acreditam. Jeb Bush reviu sua resposta posteriormente, mas o estrago na sua imagem já tinha sido feito.

Você não é obrigado a responder rapidamente a filhos, parceiro, amigos, colegas de trabalho. É melhor se passar por lento do que falar bobagens ou tomar atitudes impensadas. Ser instintivo depende da carga genética, não demanda transpiração nem treinamento; já controlar o instinto animal, superar a ditadura da resposta, se interiorizar e pensar antes de reagir são funções complexas, não cognitivas, que devem ser treinadas com frequência ao longo da vida. Se feita com disciplina, essa TGE constrói uma plataforma de janelas saudáveis que promovem a inteligência socioemocional.

Sob o ângulo da gestão da emoção, forte não é quem mostra força física, e sim força intelectual; não é quem grita, mas quem expõe suas ideias de forma branda; não é quem pressiona para subjugar os outros, mas quem usa o diálogo para influenciar pessoas e lhes dá o direito de criticar. A força produz bajuladores, a inteligência produz amigos; o poder cultiva servos, porém só o diálogo produz mentes livres. O que você tem cultivado?

TGE 2 – Não reagir pelo fenômeno da ação-reação

Não são só as drogas que viciam, os comportamentos também. Nada vicia tanto o circuito da memória quanto reagir rispidamente, atritar, discutir, valorizar picuinhas, ser intolerante a frustrações. Esses comportamentos levam o fenômeno RAM a depositar entulhos na memória, ou seja, arquivar janelas killer que formam núcleos traumáticos que sequestram o Eu. A autonomia, nesse caso, fica engessada.

A personalidade não é estática, como muitos – inclusive alguns psicólogos – creem, mas dinâmica, sofrendo transformações a partir das matrizes da memória ou dos núcleos de janelas killer ou light que se instalam ao longo da vida. Esses núcleos serão acessados e constituirão o processo de interpretação, o *modus operandi* de ser, reagir, pensar, sentir.

Pessoas belas emocionalmente podem sofrer diminuição do limiar para frustrações e se tornar intolerantes e irritadiças se não aprenderem a proteger a emoção. Pessoas calmas podem, pouco a pouco, se transformar em ansiosas e impacientes se formarem núcleos traumáticos na memória. Pessoas otimistas podem se converter em pessimistas, mórbidas, especialistas em reclamar se não aprenderem a filtrar estímulos estressantes. Quem não gere a própria emoção asfixia as melhores e mais saudáveis características de sua personalidade. O melhor sempre está por vir se o Eu cumpre o papel de gerente da mente.

Quando os filhos são bebês, os pais têm paciência com seus erros, dão risada quando eles lambuzam a cara; contudo, quando os filhos crescem, muitos pais se tornam intransigentes, não suportam as contrariedades, tolhem a leveza da vida, convertem-se num manual de regras e críticas em vez de um manual de vida, inteligência e superação da dor. Viciam-se em apontar falhas dos filhos em vez de apontar caminhos. Você é um viciado em apontar falhas ou estimula seus filhos a pensar?

É paradoxal que milhões de pais conversem muito com seus filhos quando estes ainda não sabem falar e exaltem cada palavra que estes aprendem – mesmo que foneticamente erradas –, porém, quando os filhos crescem e aprendem a conversar, frequentemente os advirtam: "Fique quieto, menino!". Quando os filhos precisam dialogar, os pais se calam sobre o essencial. Não perguntam sobre seus pesadelos, suas crises, suas dificuldades e sobre como podem contribuir para que sejam mais felizes. Os educadores, por sua vez, por não aprenderem a gerir a própria emoção, tornam-se especialistas em dar broncas, em formar mentes opacas e não livres.

A comunicação falha é a maior fonte de destruição dos mais belos romances. Muitos casais começam a relação no céu do afeto e a terminam no inferno dos atritos. No começo do romance, são tolerantes, educados, gentis – alguns homens até abrem a porta do carro para a parceira. No entanto, com o passar do tempo, tornam-se peritos em criticar, corrigir, valorizar o irrelevante, têm a necessidade de mudar o outro, têm ataques de ciúme. Quando percebem, estão viciados, não conseguem deixar de discutir um com o outro. Você nutre seu romance ou o asfixia?

TGE 3 – Exaltar a pessoa que erra antes de exaltar o erro dela

Há um jogo de janelas ou arquivos nos solos do inconsciente que nutrem desde respostas inteligentes até reações violentas. Eles se abrem e fecham numa velocidade espantosa. Freud, Jung, Adler, Piaget, Fromm, Skinner, Pavlov foram pensadores brilhantes; se tivessem tido a oportunidade de estudar a Teoria das Janelas da Memória, poderiam ter elucidado ainda mais os comportamentos humanos e expandido suas teorias.

Quando se aponta o erro de alguém, dispara-se um fenômeno inconsciente, o gatilho da memória, que abre uma janela killer. Nesse caso, o ser humano deixa de ser *Homo sapiens*, um ser pensante, e se torna *Homo bios*, instintivo, um animal ferido prestes a fugir, atacar ou se automutilar. É surpreendente observar que adolescentes nos dias de hoje estejam se mutilando fisicamente, se cortando, quando muito estressados.

Para não instigar o instinto ou a fera que há dentro das pessoas, devemos mudar a política educacional, passar da era do apontamento de erros à era da exaltação de quem erra, para, só num segundo momento, expor sua falha. Essa Técnica de Gestão da Emoção poderia ter evitado guerras e milhares de homicídios e suicídios. Treinar o autocontrole para nunca exaltar o erro de um filho, aluno, colega de trabalho, cônjuge é, em primeiro lugar, vital para proteger a emoção e abrir o circuito da memória de quem errou e, consequentemente, patrocinar a reflexão, a consciência crítica.

É provável que, em todo o mundo, mais de 80% das correções que pais fazem em seus filhos, professores em seus alunos, casais entre si, executivos em seus colaboradores, piorem-nos em vez de induzir a um ajuste de rota. Quando chama a atenção de uma pessoa, você a piora ou melhora?

O ser humano pode se tornar um predador pior do que as mais violentas feras. Pessoas calmas podem ter momentos de agressividade. Pessoas generosas podem ter ataques de egocentrismo. Pessoas lúcidas podem ter reações estúpidas em alguns momentos. Gerir a emoção faz toda a diferença para pacificar nossos instintos e abrandar todo tipo de violência. Não devemos desprezar a fera que está em nós, e sim gerir a emoção para domesticá-la e transformá-la num animal de estimação.

Exaltar, ainda que minimamente, quem tropeçou dizendo "Você é inteligente", "Eu aposto em você", "Eu creio em seu potencial" parece simples, porém causa uma revolução no córtex cerebral dessa pessoa, liberta o Eu do Circuito Fechado da Memória, refina a arte de pensar e oxigena o raciocínio. Após abrir o circuito da memória – no segundo momento, portanto –, pode-se tocar, com firmeza e generosidade, na falha, na crise, na atitude ineficaz que induzirão a pessoa à interiorização, à reflexão e à elaboração de experiências.

Você liberta as pessoas ou as aprisiona? Provoca a fera que está dentro delas ou a acalma? Domestica o instinto delas ou o instiga?

5

Funções cognitivas e socioemocionais: a educação que transforma a humanidade

Cérebros complexos precisam de treinamento sofisticado

Cérebros menos sofisticados, como o dos felinos, precisam ser treinados para observar, emboscar, ter explosão muscular, asfixiar a presa. Sem tais aprendizados, esses animais não sobrevivem. Eles aprendem essas técnicas no máximo nos primeiros dois anos de existência. Com 7 anos de idade, um felino está no apogeu de sua maturidade. Outras espécies, no apogeu da velhice.

E por que um ser humano de 7 anos é tão despreparado para a vida? Um cérebro sofisticado como o nosso exige sofisticados processos de aprendizado para desenvolver habilidades tanto cognitivas quanto não cognitivas.

As habilidades cognitivas, como a linguagem, a capacidade de inferência, a dedução e a síntese, o pensamento lógico, o raciocínio esquemático, a concentração e a curiosidade, dependem não apenas da carga genética, mas também de aprendizados constantes e notáveis que devem ser incentivados por pais/responsáveis e professores. Jovens mal treinados podem apresentar limitações intelectuais durante toda a vida e, consequentemente, ter desvantagens competitivas no campo profissional e social. Por exemplo, eles podem ter a falsa crença de que não conseguem aprender matemática ou de que não sabem lidar com dinheiro, analisar dados, desenvolver metas.

Se o treinamento e a educação são fundamentais para o desenvolvimento das habilidades cognitivas, imagine quanto o são para o refinamento e a expansão das sofisticadíssimas habilidades não cognitivas ou socioemocionais, como pensar antes de reagir, colocar-se no lugar do outro, expressar sentimentos, expor, em vez de impor, ideias, proteger a emoção, gerenciar a ansiedade, filtrar estímulos estressantes, trabalhar perdas e frustrações, ser resiliente, ter coerência, ousadia, autoestima, autoimagem, determinação, autonomia, enfim, ser autor da própria história. Pais tímidos e hiperpreocupados com o que os outros pensam e falam, se não estimularem suficientemente seus filhos, podem contrair a capacidade destes de explorar, ousar e debater ideias.

Quem não desenvolve as habilidades não cognitivas ou socioemocionais pode ter mais desvantagens competitivas do que quem não desenvolve habilidades cognitivas, pois as sociedades modernas são altamente exigentes, estressantes, mutantes. Pode também ter maior dificuldade de prevenir transtornos emocionais, de construir relações saudáveis, de se reinventar, de suportar contrariedades, de libertar a criatividade, de liderar pessoas, enfim, de gerir a própria mente.

A educação de filhos e alunos deveria ser carregada de técnicas de gestão emoção, para enriquecê-los tanto de habilidades cognitivas como de não cognitivas. Pais e professores que são apenas manuais de regras, transmissores de dados e apontadores de falhas estão aptos a lidar com máquinas, mas não a formar pensadores dotados de mente livre e emoção saudável.

Preocupado com os filhos da humanidade e com o futuro de nossa espécie diante das gritantes falhas educacionais das famílias e das escolas clássicas no que tange ao desenvolvimento das habilidades não cognitivas, idealizei, ao longo de muitos anos, dois programas para crianças e jovens: o programa Escola da Inteligência e a Escola Menthes.

Vamos às lágrimas ao ver os resultados. Crianças de 7 anos falando para seus pais: "Papai, você perdeu o autocontrole", ou "Você não está pensando antes de reagir".

Por que os alunos passam a aprender melhor as funções cognitivas, como concentração, assimilação, pensamento lógico, comunicação, capacidade de organizar as ideias, quando lhes ensinamos as habilidades não cognitivas? Porque, ao se expandirem a autoestima, a autonomia e a resiliência, abrem-se as janelas da memória e o Eu raciocina melhor e de maneira mais ousada. As funções emocionais colocam combustível nas funções intelectuais.

Diante dessa exposição, gostaria de enfatizar minha sólida convicção de que a regra de ouro da gestão da emoção pode ser resumida da seguinte forma: só somos verdadeiramente felizes e saudáveis quando protegemos nossa mente e investimos na felicidade e no bem-estar dos outros. A regra de ouro da gestão da emoção é, na realidade, uma megatécnica de *coaching* emocional com sete ferramentas, a serem comentadas no próximo capítulo.

A gestão da emoção requer doses elevadas de ambição saudável para materializar os grandes projetos sociais. Não basta ter boas intenções. O inferno emocional está saturado de pessoas bem-intencionadas porém incapazes de tomar atitudes para mudar o mundo, pelo menos o seu mundo. A ambição de contribuir com os outros é belíssima e deve ser incentivada; a ambição de controlar e estar acima dos outros é doentia e deve ser desencorajada. Todo ser humano, sobretudo a nova geração, deveria ambicionar pensar como humanidade, e não apenas como grupo social, político, religioso, acadêmico. Deveríamos dar o melhor de nós para, de alguma forma, aliviar a dor e tornar a família humana mais saudável, generosa, altruísta, tranquila, inteligente e unida.

Se pensasse como espécie humana, e não como grupos isolados que controlam, em todos os continentes, empresas, escolas, universidades e religiões, nossa espécie daria um salto evolutivo e nunca mais seria a mesma. As prisões tornar-se-iam museus, os policiais se dedicariam a escrever poesias, os generais se arriscariam nas artes plásticas, os psiquiatras teriam tempo para tocar instrumentos. Mas isso ainda é uma utopia. Todavia, se todos aprendêssemos a gerir o mais complexo, belo e rebelde dos mundos, essa utopia deixaria de sê-lo e pouco a pouco se materializaria.

Onde estão os ambiciosos dispostos a viver esse sonho? Você permitiria que esse sonho penetrasse nas entranhas de seu imaginário? O egoísmo, o egocentrismo e o individualismo, tão comuns nos dias atuais, são exemplos solenes de um ser humano fragmentado, vítima de seus fantasmas mentais, assombrado pela necessidade neurótica de que o mundo gravite em sua órbita, que não aprendeu os primeiros passos da gestão da emoção.

O livro de Gênesis: um acidente grave

As religiões podem ser fonte de altruísmo, liberdade e resiliência, mas também podem se converter em fonte de doenças mentais, sobretudo se houver inveja sabotadora, radicalismo, fundamentalismo e desrespeito pelos que pensam diferente, o que significa, em outras palavras, falta de mínima gestão da emoção.

Embora, nos dias atuais, o *coaching* seja sistematizado e aprimorado como programa educacional, o treinamento socioemocional sempre ocorreu na história. Vejamos uma das metáforas fascinantes do livro de Gênesis, valorizado pelas três grandes religiões monoteístas, o judaísmo, o cristianismo e o islamismo: a história de Caim e Abel. Você pode ser um ateu ou antirreligioso, mas, se abrir o leque de sua mente, perceberá as implicações surpreendentes desse texto do famosíssimo livro.

A história dos dois irmãos, anunciada pelo povo judeu, é vista com simplismo e superficialismo religioso, porém, se judeus como Albert Einstein, Albert Sabin, Sigmund Freud, entre inúmeros outros intelectuais, a analisassem sob a luz da gestão da emoção ficariam impressionados com o vampirismo emocional patrocinado por um treinamento educacional desastroso. Os pais de Caim e Abel foram ineficientes em ensiná-los as funções socioemocionais, ou não cognitivas, mais importantes. Talvez tenham ensinado comportamentos éticos, mas falharam drasticamente em promover entre os irmãos a empatia, a capacidade de proteger a emoção e a colaboração. Infelizmente, quase todos os pais de todas as culturas cometem os mesmos erros.

Toda vez que pais, professores e executivos falham em estimular seus liderados a se colocarem um no lugar do outro e a filtrarem estímulos estressantes, correm o risco de formar predadores individualistas e egocêntricos em vez de pessoas generosas e colaborativas. Como veremos, a mãe de Adolf Hitler, Klara Hitler, era gentil, porém ser gentil é completamente insuficiente para formar num filho a inteligência socioemocional, a capacidade de se preocupar com a dor dos outros, de ser altruísta, solidário, tolerante. Pais dóceis, espiritualizados, cultos ou mesmo bem-intencionados podem superproteger seus filhos e, sem perceber, facilitar a produção de plataformas de janelas killer na memória deles, financiando o autoritarismo, a insensibilidade e a agressividade.

Muito provavelmente, os pais de Caim e Abel não foram eficientes em fomentar o diálogo entre eles, em refinar o prazer em se doar, em abrandar a inveja sabotadora e promover a inveja espelho. Não tiveram sucesso em levá-los a ter prazer no sucesso um do outro. E, se não temos esse prazer, podemos sabotar quem atinge o pódio.

O estranho é que eles falharam numa época em que havia tempo para se dedicar à educação dos filhos, cenário tão diferente dos dias atuais, em que somos caçadores de tempo. Os pais desses dois jovens, infelizmente, como milhões de pais, atuaram como manuais de regras e de ética, mas não como manuais de vida. Se tivessem sido manuais de experiências, teriam perguntado com frequência: "Filhos, que pesadelos os perturbam?", "Que fantasmas os assombram?", "Que medos os controlam?", "Que angústias furtam-lhes a paz?".

Mas onde estão os pais que fazem tais perguntas aos filhos? Se os pais de Caim e Abel tivessem feito essas simples perguntas, que fazem parte do Programa de Gestão da Emoção, provavelmente teriam percebido a crise de Caim no nascedouro dela e evitado um assassinato. Os fantasmas de Caim permaneceram intocáveis – pior, ganharam estatura dia e noite. O amor e o prazer de colaborar com seu irmão dissolviam-se no sol de seus conflitos. Seu Eu não dirigia minimamente sua emoção. Quando não se governa a emoção, se é governado pelos conflitos instalados nela. O sucesso do irmão asfixiou a capacidade de Caim de pensar.

O sucesso de Abel não produziu a inveja espelho em Caim, que não se inspirou nele, não o tomou como modelo a ser seguido; ao contrário, este nutriu a inveja sabotadora, produzindo raiva, indignação, autopunição e o penetrante sentimento de autoexclusão. Toda pessoa que alimenta a inveja sabotadora, seja um terrorista, um colega de trabalho, um cônjuge ou um irmão, é mal resolvido emocionalmente, sente-se excluído, diminuído, ainda que por si mesmo. Quanto mais Caim se sentia excluído, mais o fenômeno RAM retroalimentava as janelas traumáticas em sua memória, formando núcleos traumáticos que, por fim, não apenas perturbavam seu Eu, mas o sequestravam.

Certa vez, dando conferência sobre o tema de um de meus livros (*Ansiedade – como enfrentar o mal do século*) para uma plateia de mil pessoas, entre elas algumas das maiores fortunas do Brasil, choquei a todos dizendo que não apenas pessoas ricas correm o risco de ser sequestradas, mas também pessoas sem recursos financeiros. Como? Elas podem ser sequestradas no território da emoção pelos núcleos traumáticos que se formam clandestinamente dentro delas. Há muitas pessoas que nunca foram confinadas por criminosos, mas cujo Eu é prisioneiro no único lugar onde é inadmissível ser um encarcerado: a emoção.

O sequestro do Eu impede o indivíduo de pensar em outras possibilidades, levando-o a reagir por instinto, como um animal. O animal que está dentro do ser humano, se provocado dia e noite, torna-se um predador mais voraz do que os piores predadores. Por isso, pessoas brandas podem ter reações explosivas, chegando a tal nível de estresse que não suportam ser minimamente contrariadas. Pessoas lúcidas podem se tornar estúpidas nos focos de tensão. Pessoas religiosas podem ser golpeadas pelo fantasma do egocentrismo. Ter autoconsciência, penetrar em camadas mais profundas da mente e mapear os vampiros emocionais são fundamentais para usar as ferramentas para domesticá-los.

Educar o Eu com a gestão da emoção

Educar nossos instintos para que não se submetam à ditadura do fenômeno ação-reação ou bateu-levou e aprender a pensar sistematicamente antes de reagir em qualquer circunstância é uma excelente técnica de gestão emocional. Essa técnica promove nossa humanidade e minimiza nossa animalidade. Para ser efetiva, a TGE da capacidade de pensar antes de reagir, que acabamos de ver, tem de ser treinada diariamente. Todas as pessoas impulsivas e intensamente ansiosas têm um Eu com níveis baixíssimos dessa TGE e, por isso, ferem quem mais amam, embora muitas se arrependam momentos depois.

A inveja sabotadora controlou Caim de tal forma que ele não filtrava estímulos estressantes; provavelmente, tudo em seu irmão o incomodava: o jeito, as palavras, as atitudes dele detonavam em Caim o fenômeno do gatilho da memória, que abria janelas killer, que, por sua vez, geravam mais aversão por Abel, colocando Caim numa masmorra. Sempre que alguém tem aversão por uma pessoa, uma escola, uma empresa, ele está preso numa masmorra, ainda que tenha motivos reais para a rejeição.

A aversão de Caim pelo irmão se avolumou e produziu o ódio; o ódio se expandiu e produziu a sede de vingança; a sede de vingança se desenvolveu e gerou o desejo de sabotagem; o desejo de sabotagem chegou às últimas consequências – o pensamento homicida. Quanto tempo demorou esse processo? Meses, talvez anos. E a educação pelos pais falhou em pelo menos três aspectos: eles não promoveram a cooperação, a generosidade e o afeto entre os filhos; não os ensinaram a não reagir instintivamente, a se colocar no lugar um do outro e a pensar antes de reagir; e, o mais grave, não perceberam a mudança de comportamento dos filhos, em destaque o fato de que um deles estava doente, se autodestruindo.

De seu lado, não é possível inocentar Abel de todos os erros na relação com seu irmão. Em psicologia, não há ninguém 100% correto ou 100% errado. Ele também falhou em não perceber o conflito de Caim e o fato de que seu comportamento o perturbava. Falhou em não tentar abrandar a ira dele, errou em não abraçá-lo, apoiá-lo e dizer que o admirava.

Simples palavras e pequenas atitudes podem evitar grandes desastres emocionais nas famílias, nas empresas, nas escolas, nas relações internacionais. Guerras, assassinatos, suicídios e disputas irracionais poderiam ser desarmados ou abortados com Técnicas de Gestão da Emoção capazes de patrocinar a promoção do outro, a valorização de quem falha mais do que do seu erro, o resgate da autoestima, o reconhecimento de erros, os pedidos de desculpa, a capacidade de dar o ombro para o outro chorar. A gestão da emoção é fundamental para a saúde não apenas de um indivíduo, mas das empresas, dos países, da humanidade.

Uma nação não entra em crise subitamente, uma empresa não entra em colapso da noite para o dia, uma relação afetiva não se destrói sumariamente. Longos processos se instalam até promoverem a falência, mas muitos seres humanos são lentos para preveni-los, parecem zumbis emocionais que só veem o que é tangível. Quem está preparado para corrigir erros, e não para preveni-los, tem uma frágil gestão da emoção. A gestão emocional objetiva aguçar a percepção de um líder para enxergar o que as imagens ainda não revelaram e os sons não declararam.

Do lado de Caim, era mais fácil, inteligente, humano, domesticar seus fantasmas emocionais do que matar o irmão. Mas, antes de matá-lo, seu Eu já havia assassinado sua capacidade de pensar. Toda pessoa violenta já se violentou primeiro. Como houve uma sequência de falhas, dos pais, de Abel e do próprio Caim, um personagem inesperado surgiu no cenário para dar um choque de lucidez naquele ambiente psicótico: o Autor da Existência.

A surpresa: o Autor da Existência exalta em Gênesis a gestão da emoção

O livro de Gênesis é carregado de simbolismo, metáforas e golpes elevados de complexidade. No texto que estamos analisando, o Autor da Existência, apesar de respeitar o direito fundamental do homem de decidir seus próprios caminhos, se envolveu no processo e praticou uma notável técnica de gestão da emoção, uma técnica até mesmo psicoterapêutica. Ele apareceu para Caim e surpreendentemente não lhe deu sermões, não apontou suas falhas nem o puniu; deu-lhe, sim, uma excelente ferramenta para ter autocontrole: "Caim, o teu desejo é contra ti, ao teu Eu cumpre dominá-lo".

Esse misterioso Autor da Existência quis dizer, em outras palavras, que há uma responsabilidade vital que todo ser humano deve ter e que ninguém pode assumir por ele, nem seus pais, mestres, líderes religiosos, psiquiatras, *coach*, nem mesmo Ele, Deus. Que responsabilidade é essa? O papel do Eu de gerir a emoção, impugnar os pensamentos perturbadores, reciclar os desejos doentios, proteger a psique. Milhões de ateus, budistas, islamitas, cristãos adoecem, embora muitos sejam pessoas notáveis, porque não desenvolveram os papéis do Eu como gestor da mente. O Eu, que representa sua autodeterminação, seu livre-arbítrio e sua capacidade de escolha, é frágil, passivo, tímido, um mero espectador de suas mazelas.

Para espanto das religiões e das ciências humanas, o livro de Gênesis, respeitado por mais de 3 bilhões de pessoas de inúmeras religiões, revela que o Autor da Existência não era religioso, supersticioso, um ser alienado das mazelas humanas, e sim um apreciador das mais altas ferramentas de gestão da emoção. É uma grande pena que as religiões se omitam de estudar esses textos sob o foco psiquiátrico, psicológico e sociológico.

Deus, segundo Gênesis, exaltou o Eu de Caim ao encorajá-lo a sair de sua inércia e domesticar seus fantasmas emocionais, a gerir sua mente. Dependia da livre decisão ou da capacidade de escolha de Caim, e o Autor da Existência não pediu que ele espiritualizasse o processo, ajoelhasse e fosse supersticioso, mas provocou seu Eu a atuar em seu psiquismo, a ser líder de si mesmo. Infelizmente, Caim desprezou essa técnica de gestão emocional que poderia ter resolvido seus fantasmas mentais. Se tivesse confrontado, criticado, impugnado seus desejos e suas ideias perturbadoras no silêncio da sua mente, todos os dias, ele certamente teria conseguido ser autor de sua história e jamais teria assassinado o irmão.

Podemos concluir que os maiores inimigos não estão fora do ser humano, mas dentro dele – são criados e nutridos por cada um de nós. E também que não há livre-arbítrio se o Eu é doente, estéril, inerte, enfim, se não exercita a capacidade de ser líder de si mesmo. Já tratei de líderes religiosos das mais diversas religiões ocidentais e orientais, vi pessoas maravilhosas vivendo em masmorras porque asfixiaram seu Eu. É uma pena que eles confundam o Eu com o ego doente ou com o orgulho. Alguns querem anulá-lo, sem saber que nos hospitais psiquiátricos há muitos internados que "destruíram" seu Eu. O Eu não pode ser anulado, no entanto pode ser refinado com inteligência, equipado com humildade, revestido com sabedoria.

Sem o Eu, não há vontade consciente, autonomia, identidade e consciência crítica. Alguns líderes religiosos têm a necessidade de controlar seus seguidores. Asfixiam o Eu e a liberdade deles. Não lhes dão o direito de expressar suas ideias. São doentes que procuram seguidores cegos. O Mestre dos mestres, o educador que provavelmente foi o mais eficiente formador de pensadores da história, nunca controlou seus discípulos, nunca usou seu poder para dominar a mente deles e sempre lhes deu o direito de partir. Seu desprendimento era espantoso e explica por que toda vez que ajudava alguém proclamava: "Não conte a ninguém o que fiz". Estudaremos algumas Técnicas de Gestão da Emoção usadas por ele, mas antecipo que ele não queria servos em seu estafe, apenas mentes livres.

Quantas guerras e exclusões seriam evitadas se o Eu fosse educado para gerir a mente humana?... Infelizmente, tanto nas religiões quanto nas universidades, ainda estamos na Idade da Pedra em relação à gestão da emoção. Um fato incrível, absurdo.

Não é sem razão que, na era da mais alta tecnologia digital, do som, da imagem, da comunicação, estejamos adoecendo rápida e coletivamente: uma em cada duas pessoas, mais de 3 bilhões de seres humanos, cedo ou tarde, desenvolverá um transtorno psiquiátrico. Esse número deveria nos levar às lágrimas. Costumamos esperar que as pessoas adoeçam para depois tratá-las. Uma distorção dantesca, pois sabemos que uma minoria será diagnosticada e tratada e a minoria da minoria terá uma resolução para seu transtorno mental.

Se a população mundial fosse educada com metade das TGEs que estamos estudando, poderíamos certamente prevenir centenas de milhões de doenças psíquicas. Mas, como o Eu de crianças e adultos de todos os povos não se desenvolve de maneira atuante, dado que as sociedades são estruturadas e focadas na educação clássica, não se protege a emoção, não se gerenciam os pensamentos, não se reedita a memória. Portanto, continuaremos a ser vítimas não apenas da inveja sabotadora, mas também da depressão, da ansiedade, das fobias, do complexo de inferioridade, da fragmentação da autoestima, do ciúme, da raiva, da culpa e da autopunição.

A análise do belíssimo livro de Gênesis, essa minienciclopédia da história humana, revela que a humanidade nunca desenvolveu habilidades para gerir a emoção. Ela teve início com um assassinato e continua multiplicando assassinatos e suicídios. Começou com intolerância a contrariedades e continua com baixo limiar para suportar frustrações. Por tudo isso, o Eu continua sendo predador dos outros (*bullying*, violência contra as mulheres, violência social) e de si mesmo (autopunição, autocobrança, timidez).

O *coaching* na Grécia Antiga

O treinamento socioemocional fazia parte do tecido da Grécia Antiga em duas grandes modalidades: o treinamento esportivo (a formação de esportistas eficientes) e o treinamento intelectual (a formação de pensadores impactantes).

No campo esportivo, os treinadores, que às vezes eram atletas mais experientes, ajudavam os atletas menos hábeis a melhorar seu desempenho para disputar os Jogos Olímpicos. Os Jogos Olímpicos eram uma festa de confraternização da humanidade, e não uma arena de competição predatória. O objetivo central era exaltar a unidade da família humana, em vez de promover alguns meros esportistas e países.

Horas incansáveis após a labuta diária da sobrevivência eram despendidas. A meta não era vencer, a meta era treinar. A meta não era o pódio, a meta era dar o melhor de si. O pódio e a vitória eram apenas uma consequência do processo. Uma TGE importante perfumava a mente dos atletas: perdas, fracassos, crises não eram objeto de punição, mas de exaltação, pois sabia-se que "quem vence sem derrotas sobe no pódio sem glórias". Quem não tivesse dignidade para suportar os vexames também não a tinha para receber os aplausos. Dar risada dos fracassos, relaxar diante dos tropeços eram vitais para fazer do esporte uma usina de prazer, e não uma fonte de doenças mentais.

O segredo dos vencedores não eram os dons inatos, a musculatura privilegiada, mas o treinamento incansável, o refinamento das habilidades, a repetição dos processos. Intuitivamente, eles usavam outra poderosa TGE: geralmente, quem sobe ao pódio não são os mais hábeis, mas os mais perseverantes. O mundo sempre foi mais dos teimosos do que dos capazes, mais dos que transpiram do que dos autossuficientes.

No campo intelectual grego, as escolas eram uma fonte de educação socioemocional. Nelas, a história de mestres e discípulos se cruzava. Técnicas de *coaching* emocional irrigavam as aulas ao ar livre, estimulando os alunos na arte de pensar a vida e questionar o mundo. Sócrates era um *coach* especialista na arte de perguntar. Era criticado por muitos porque questionava tudo e não explicava nada. Hoje sabemos que quem pergunta pouco chega aos lugares aos quais todo mundo chega. Quem pergunta muito se perturba muito, se perde em seus caminhos, mas tem a possibilidade de chegar aonde ninguém chegou. O maior risco para um universitário, mestre ou doutor é se adaptar ao mundo das respostas. As respostas são o câncer das novas ideias.

O método socrático é uma técnica de *coaching* emocional fundamental para libertar o imaginário e formar pensadores. Antes de os alunos de psicologia, por exemplo, terem contato com as teorias da personalidade de Freud, Jung, Fromm, Piaget, Allport, Kurt Lewin, ou mesmo com a minha, a Teoria da Inteligência Multifocal, eles deveriam ficar meses investigando, analisando, perguntando, produzindo sua própria teoria. Ainda que produzissem uma simples página, ainda que ficassem estressados e perdidos, estariam se formando como pensadores, e não repetidores de informações. Dar informações prontas sem questionamento aborta a inventividade humana. As faculdades, sem perceber isso, são especialistas nesse processo abortivo.

Sócrates exercitou a mente de seus discípulos, entre eles Platão. Analisando a postura intelectual de Sócrates, entenderemos que, para ele, um pensador questiona, enquanto um servo obedece a ordens; um pensador explora o seu mundo, enquanto um espectador espera a morte chegar; um pensador se deleita em produzir conhecimento, enquanto um repetidor de dados consome informações passivamente sem digeri-las; um pensador sabe que a verdade é um fim inatingível, enquanto um repetidor de dados tem certeza de que as verdades são absolutas.

Mesmo às portas da morte, Sócrates, antes de tomar a cicuta, o veneno que o mataria, realizou uma das maiores e mais fascinantes Técnicas de Gestão da Emoção, revelando um treinamento educacional notável. A técnica era: "Quem não é fiel à sua consciência tem uma dívida impagável consigo mesmo".

Sócrates era um crítico da sociedade vigente, criticava a superstição grega, acreditava num Deus único. Essa era uma de suas ideias revolucionárias. Além disso, criticava o *modus operandi* da política de seu tempo. Considerado um herético, foi condenado a tomar a cicuta. Bastava que ele negasse tudo em que acreditava, e seria livre. No ambiente onde seria condenado, estavam diversos discípulos torcendo e chorando para que Sócrates mudasse suas ideias. Entretanto, o Eu dele preferiu ser fiel à sua consciência a contrair uma dívida consigo mesmo. Que treinamento espetacular! Políticos, reis, intelectuais da atualidade, se se submetessem a essa TGE, mudariam o mundo, pelo menos o seu próprio mundo. Você é fiel à sua consciência?

Formando mentes pensantes

Sócrates, o mais indagador dos filósofos, foi fiel às suas ideias e silenciou-se por elas. Era tão sensível à sua consciência que disse que não se lembrava de ter dívida com alguma pessoa, mas, ao dizer isso, lembrou-se de que devia um galo a alguém. Suplicou que seus alunos pagassem a fatura por ele. Você se lembraria de uma pequena dívida no leito de morte?

Sob o ângulo do funcionamento da mente, o treinamento que Sócrates aplicava a seus discípulos era espetacular e operava deste modo: através da arte da pergunta, ele provocava o fenômeno inconsciente que registra tudo automaticamente (RAM), o qual gravava cada gesto e palavra no córtex cerebral dos alunos, transferindo-lhes o capital das experiências, muito mais rico do que o capital das informações secas. O capital das experiências transferido formava janelas light com alto conteúdo emocional e, portanto, inesquecíveis. Diferentemente da educação moderna, pouco eficiente, que forma janelas neutras, destituídas de emoção, pois o professor não se coloca no processo, não se posiciona como mestre da vida, Sócrates irrigava a mente, inspirava sonhos, chorava junto com os alunos e implodia verdades absolutas.

A educação socrática continuava a produzir reações em cadeia, mesmo em sua ausência. Toda vez que um discípulo estava numa situação socialmente estressante, lidando com perdas, frustrações e oposição, as janelas light que Sócrates arquivara nele, embora concorressem com milhares de outras janelas no cérebro, por serem poderosas, se abriam e influenciavam o processo de leitura, construção de pensamentos e interpretação. Assim, sem que percebessem, os discípulos vivenciavam as TGEs do mestre. Recolhiam as armas e usavam as ideias, pensavam antes de reagir, questionavam o mundo com a arte da pergunta, em destaque o seu mundo psíquico.

Cada nova interpretação de um discípulo era registrada, construindo plataformas de janelas que se agregavam na memória. Essas plataformas formavam "bairros", ou núcleos de habitação do Eu. Os núcleos de habitação do Eu reciclavam o processo de formação da personalidade, modulando a consciência crítica, a ética, a visão social, a tolerância, a capacidade de se reinventar no caos. Sócrates formou Platão e outros pensadores sem lousa, giz, multimídia, espaço físico. Atualmente, são necessárias centenas de milhares de professores e milhares de escolas com incalculável tecnologia para se formar um Platão, um pensador impactante.

O magno treinamento das escolas gregas, capitaneado por notáveis Técnicas de Gestão da Emoção, foi abandonado inclusive na Grécia atual. Lembro-me de que, há alguns anos, dei uma série de conferências sobre o funcionamento da mente e a formação do Eu para médicos a bordo de um transatlântico que passeava pela Grécia. Nos intervalos, visitávamos locais históricos desse belíssimo país.

Durante as andanças, encontrei vários adolescentes e, curioso, perguntei a eles sobre Sócrates, Platão, Aristóteles, Parmênides, Xenófanes, Pitágoras, enfim, sobre os grandes pensadores da Grécia Antiga. Para meu espanto, a maioria dos jovens não os conhecia, e os poucos que disseram conhecer não sabiam falar nada sobre eles. Eram meros consumidores de informações; desconheciam o método socrático de instigar a mente e formar pensadores. Todavia, ao descobrirem que eu era brasileiro, começaram a citar euforicamente nomes de jogadores de futebol. Nada contra o esporte – ao contrário –, mas fiquei perplexo ao detectar que, na atualidade, muitos jovens da Grécia e das demais sociedades modernas pisam não apenas na superfície do planeta Terra, mas também na superfície do planeta Mente.

6

MegaTGE: Construir a felicidade inteligente e a saúde emocional

Esta MegaTGE, advinda da Teoria da Inteligência Multifocal, irriga as regras da construção da felicidade inteligente e da saúde emocional. Todo ser humano deveria vivê-la dia e noite ao longo de toda a sua história existencial. Celebridades, executivos, empresários, intelectuais que tiveram grande êxito social, financeiro e/ou profissional, se não a praticarem minimamente, serão miseráveis no território da emoção, mendigarão o pão da alegria diante de uma mesa farta, terão camas confortáveis, porém não descansarão, estarão sob os holofotes da mídia, mas não terão brilho dentro de si.

Essa megatécnica nos leva ao eldorado sustentável da felicidade inteligente e ao oásis da saúde psíquica. É uma técnica multifocal e complexa e depende de pelo menos sete ferramentas, que devem ser trabalhadas diariamente:

1. ser fiel à consciência;
2. contemplar o belo;
3. encantar-se com a existência;
4. ser altruísta;

5. pensar como humanidade;
6. doar-se sem esperar a contrapartida do retorno;
7. adquirir estabilidade emocional fundamental.

Ser feliz é muito mais do que estar alegre, imergir no oásis do prazer, até porque a emoção não é saudável e livre em si mesma se não for inteligente, se não for acompanhada de algumas das Técnicas de Gestão da Emoção citadas acima e que vamos discutir a seguir. É possível estar alegre e essa alegria ser doentia, ou seja, alicerçar um consumo irresponsável que, posteriormente, gerará autopunição. A gestão da emoção traz, portanto, nova luz sobre o complexo território da emoção.

Veja bem, é possível ainda estar eufórico, se achar superfeliz, e essa superfelicidade levar o Eu a patrocinar a própria infelicidade, ou seja, ter no estado de euforia atitudes completamente impensadas, como fazer negócios sem racionalidade. É possível, quando se faz dieta, liberar endorfina cerebral, o que faz o Eu vivenciar um estado intenso de prazer ao emagrecer, que sabota constantemente o próprio regime, levando-o a comer compulsivamente num determinado momento e a ter sentimento de culpa em outro.

Sinto-me uma voz solitária na atualidade ao dizer que a felicidade precisa ser inteligente. A felicidade inteligente, por sua vez, exige uma emoção saudável; a emoção saudável exige sustentabilidade; e a sustentabilidade exige aplicação de ferramentas de gestão da emoção.

TGE 1 – Quem é infiel à sua consciência tem uma dívida impagável consigo mesmo

Algumas pessoas têm 30 ou 40 anos de idade cronológica mas idade emocional de 15 ou 20. Seu Eu não consegue atravessar a fase da adolescência. Um dos motivos é que não treinaram a emoção para serem fiéis à sua consciência. Quem é infiel à consciência olha para fora, é dirigido pela ganância, contaminado pelo imediatismo, encarcerado por suas necessidades neuróticas, incluindo a de *status* social.

Faltam a essas pessoas ética, transparência e responsabilidade social. Elas dirigem empresas e instituições mas não a própria mente. São ousadas mas não dosadas. São rápidas em produzir respostas mas não reflexivas. São cultas mas perdem tempo com discussões, atritos e picuinhas. São eloquentes mas não sabem dialogar de forma transparente para resolver conflitos na empresa, na escola, na família. Onde metem o nariz, aumentam a confusão.

Uma pessoa que equipa seu Eu para ser fiel à própria consciência é, em primeiro lugar, preocupada com sua saúde emocional e cresce diante da dor, filtra estímulos estressantes, protege a mente, não leva para o túmulo seus fantasmas mentais.

Uma pessoa que treina ser fiel à sua consciência sabe que tem de prestar contas à sociedade, a seus familiares, aos acionistas da empresa e, principalmente, a si mesma. Seu maior juiz não são os outros, mas seu próprio Eu. Ela tem consciência de que ser infiel à sua consciência é se divorciar de sua saúde emocional, do estado sustentável de felicidade, de seu equilíbrio mental. Você tem esse caso de amor com sua saúde emocional ou é um predador de si mesmo?

Quem educa seu Eu para ser fiel a si mesmo começa a descobrir a regra de ouro da tranquilidade inteligente: o dinheiro não garante a felicidade, porém a falta dele garante a ansiedade. O mau uso do dinheiro pode financiar o orgulho, a arrogância, a necessidade neurótica de ser um deus e de estar acima de seus pares. O mau uso do dinheiro empobrece tanto quanto a falta dele. Ter projetos, lutar por eles, trabalhar, poupar recursos são formas de irrigar a emoção. Quem vive na sombra dos outros desidrata a própria felicidade.

Uma das maiores ferramentas que pais e professores devem ensinar a seus filhos e alunos, a qual transmitimos sistematicamente em nossos programas educativos, é que sejam transparentes, tenham coragem de falar de si mesmos, de suas crises, suas perdas e suas falhas.

Muitos jovens estão à beira do suicídio ou de um colapso mental e não aprenderam com seus pais a dividir a sua história. É melhor a dor da honestidade do que o alívio momentâneo da dissimulação ou da mentira. Crianças e adolescentes que não aprendem a lidar com suas crises não formam núcleos saudáveis em sua memória para amadurecer o Eu como gestor psíquico; têm, portanto, uma desvantagem enorme quando se trata de ser produtivos e proativos na construção da própria história.

A infidelidade à própria consciência se manifesta de diversas formas, até mesmo em pessoas éticas. Muitas amam tanto o dinheiro que se autodestroem em sua conquista, sobretudo quando se tornam máquinas de trabalhar, colocando-se e à sua família e à própria saúde em lugares indignos de sua agenda.

Outras pessoas são antiéticas. São infiéis à sua consciência a tal ponto que têm uma paixão cega pelo dinheiro, usando de meios ilícitos para conquistá-lo. Não se interiorizam. Não sabem que, sob o ângulo da gestão da emoção, o dinheiro que advém da corrupção infecta a emoção, nutre a angústia e a intranquilidade. Quem ganha dinheiro sabotando sua nação, sua empresa ou a outras pessoas, como temos visto em nossa nação, sabota a própria felicidade, corrompe a própria saúde mental, desenvolve altos níveis de ansiedade, capazes até de gerar paranoia ou sensação de perseguição.

TGE 2 – Contemplar o belo

Ser fiel à sua consciência é ser fiel à sua saúde emocional; ser fiel à sua saúde emocional começa na infância, quando se treina o Eu para contemplar o belo. Contemplar o belo é se entregar atentamente, observar nuances, se embriagar com detalhes imperceptíveis a mentes ansiosas que não se interiorizam. É refinar o olhar, dar intensidade à observação, capturar o que está dentro de si, observar o que se encontra por detrás da cortina do comportamento dos filhos, do parceiro, dos amigos. É ser riquíssimo, mesmo sem ter muito dinheiro. É comprar o que não está à venda. É formar plataformas de janelas light que irrigam a felicidade inteligente.

Rico, para o complexo mundo da gestão da emoção, não é quem tem muito dinheiro no banco, mas quem vive a arte da contemplação no meio das agitadas avenidas, nos ambientes urgentes das empresas, das escolas. Rico é quem rompe, pelo menos algumas vezes, a loucura estressante que vive e nutre agradavelmente sua emoção absorvendo o máximo do mínimo. É quem faz pequenos relaxamentos no trabalho, mergulha dentro de si, liberta seu imaginário, irriga seus sonhos.

Quem, em meio a um trânsito infernal, consegue capturar uma árvore florida, um tronco carcomido, uma relva despercebida tem grande vantagem para irrigar sua saúde emocional. Quem analisa um caminhante apressado e se pergunta "Quem é ele?", "Que lágrimas chorou?", "Que projetos executou?", "Que sonhos abortou?", "Que pesadelos viveu?" nutre a felicidade inteligente, pois desfruta de prazeres solenes que o dinheiro não pode comprar.

Pais que dão presentes em excesso a seus filhos viciam o córtex cerebral destes em precisar cada vez mais de estímulos para ter migalhas de prazer, asfixiando, portanto, a arte de contemplar o belo. Sob a tônica da gestão da emoção, o maior favor que os pais podem fazer para enriquecer a emoção de seus filhos é dar-lhes aquilo que o dinheiro não pode comprar: é calibrar o olhar deles para que se deslumbrem com o mundo fascinante à sua volta. Mesmo em meio a guerras e areia, é possível valorizar a brisa do vento.

Alguns "fora da curva" viveram essa ferramenta de gestão da emoção em lugares quase impossíveis de ter prazer. Viktor Frankl, como comentei em meu livro *Em busca do sentido da vida*, foi capaz de treinar seu Eu para sonhar, ter projetos de vida e desfrutar da alegria fomentada pela liberdade que estava além das trincheiras do campo de concentração de Auschwitz. Ele via o invisível, pois aprendeu a contemplar o belo.

TGE 3 – Encantar-se com a existência

Encantar-se com a existência é um passo além da contemplação do belo. Estamos na era do entristecimento humano, embora tenhamos desenvolvido a mais poderosa indústria de lazer de todos os tempos. Depressão, ansiedade e ideias de suicídio vêm aumentando muitíssimo. Por quê? Porque não treinamos a contemplação do belo e o encanto com a existência nas sociedades estressantes e consumistas. Somos ingênuos ao pensar que esses fenômenos se aprendem espontaneamente. Não entendemos que essas Técnicas de Gestão da Emoção são mais difíceis de ser aprendidas do que as mais sofisticadas fórmulas matemáticas ou físicas. Essas técnicas fazem parte do portfólio de sua personalidade?

Quem aprende a se deslumbrar com a vida não vive só por estar vivo: faz dela uma grande aventura, um mundo a ser explorado. Quem se encanta com a existência não acha trivial trabalhar, produzir, expandir, se reciclar – acha tudo isso notável. Torna-se mais intenso, não mais tenso. Tal qual um engenheiro, constrói janelas light na memória dos outros e em seu próprio córtex cerebral. Estimula o Eu a reciclar seu radicalismo e sua necessidade neurótica de estar sempre certo e promove o relaxamento.

Certa vez, perguntaram a um empresário idoso, um dos mais ricos do Japão, qual era o segredo de seu vigor. Ele respondeu três coisas: comer pouco, não dar bola para as bobagens e saber que tudo é bobagem. Encantar-se com a vida é saber dar risada de nossas tolices, debochar de nossos medos, não levar a vida a ferro e fogo. É combinar duas ferramentas difíceis de ser incorporadas na mesma alma: ser profissionalmente responsável e emocionalmente relaxado, intelectualmente competente e emocionalmente bem-humorado. Quem aprende a se encantar com a vida dança a valsa da vida com a mente desengessada. Como você dança a valsa de sua vida?

TGE 4 – Ser altruísta – O prazer de se doar

Ser altruísta é se doar de forma inteligente, é colocar-se no lugar dos outros, é abraçar mais e julgar menos, é compreender mais e criticar menos, é se entregar mais e se enclausurar menos. Os altruístas entram em camadas mais profundas de seu ser à medida que aliviam a dor humana; navegam em águas desconhecidas enquanto entancam lágrimas; vendem esperanças e promovem os outros.

Assistir a um bom filme, observar um belo quadro e ler um livro inteligente animam o psiquismo humano, mas fazer outra pessoa feliz vai além, gera uma explosão motivacional. A emoção é o fenômeno mais democrático da existência humana: quanto mais irrigamos a emoção dos outros, mais expandimos nossa capacidade de nos encantar com a vida; quanto mais agimos como embaixadores da paz, mais a conquistamos para nós mesmos. Por outro lado, quanto mais promovemos intrigas, discussões e conflitos, mais nutrimos nossas armadilhas mentais, mais fomentamos nossa ansiedade e nosso mau humor.

A felicidade, ao contrário do que muitos pensam, é mais do que um estado de alegria, prazer e satisfação. Ela precisa ser inteligente para ser sustentável. A emoção feliz não tem durabilidade nem profundidade se estiver encapsulada pelo individualismo, egoísmo e egocentrismo. Quem vive nesse casulo é digno de compaixão, pois asfixia sua liberdade, seu relaxamento e sua saúde emocional.

Ser feliz não é ter uma vida perfeita, mas reconhecer a própria falibilidade, sentir o cheiro da terra molhada, admirar a explosão de cores das flores, aplaudir os que tentaram e não conquistaram o pódio, dar o melhor de si a quem não merece, começar tudo de novo tantas vezes quantas necessárias.

Ser feliz e tranquilo é, antes de tudo, promover o bem-estar das pessoas, procurar superar pacificamente os conflitos. Essas palavras parecem soltas, mas quem as bebe experimenta um salto emocional surpreendente. Por isso, eu e meu amigo Carlos Ayres Britto, ex-presidente do Supremo Tribunal Federal, sonhamos em escrever juntos um livro com o tema "resolução pacífica de conflitos".

Há cerca de 20 mil juízes no país e mais de 100 milhões de processos. As sociedades modernas, sobretudo a brasileira, se tornaram judicialistas. Promovem-se embates jurídicos por pequenos conflitos. Aprender ferramentas de gestão da emoção para resolver pacificamente os conflitos não apenas promoveria a saúde dos profissionais do Judiciário – como juízes e promotores, que têm uma sobrecarga de trabalho inumana –, mas também patrocinaria a qualidade de vida no teatro social, pelo menos um pouco.

Quem não aprende a se desarmar emocionalmente e se doar socialmente tem chance de se transformar em seu pior inimigo. Lembro-me de um paciente, um empresário culto, rico, excelente profissional, de origem italiana, que morava numa grande cidade do Sul do país – na verdade, vivia encarcerado em seu palácio. Não sorria, não relaxava, nem se encantava com a vida. Era um especialista em reclamar de tudo e de todos, não suportava ser contrariado, vivia asfixiado dentro de si.

Era tão solitário e mal-humorado que se dirigia a seus colaboradores com gestos em vez de palavras. Tensos, estes tinham de adivinhar o que lhes era pedido, fosse uma tarefa ou eventualmente uma refeição, o que o empresário desejava. Os colaboradores pisavam em ovos. O humor do empresário era instável e depressivo, porém ele era incapaz de admitir sua falência emocional. Rico financeiramente, falido emocionalmente – um paradoxo cada vez mais comum.

Felizmente, ele resolveu sair da plateia e subir ao palco de sua mente a fim de dirigir seu *script*. Fez o Programa de Gestão da Emoção e, pouco a pouco, se surpreendeu com a quantidade de conflitos que o controlavam. Ficou impactado ao descobrir que não era livre. Tinha recursos para viajar pelo mundo, porém não sabia viajar para dentro de si. Ao fazer essa insubstituível viagem, mapeou suas armadilhas mentais, como egocentrismo, humor depressivo, pessimismo, medo de falar de si, traumas na relação com o pai.

Como artesão da emoção, teceu, através de cada técnica, a regra das regras de ouro da qualidade de vida. Aprendeu a superar a necessidade neurótica de não reconhecer o erro, passou a contemplar o belo e se encantar com a vida. Descobriu um dos raros prazeres humanos, mais agradável do que os melhores vinhos, mais fascinante do que a mais excitante viagem: ser altruísta. Rompeu o casulo do individualismo e aprendeu a se doar, a ter prazer em fazer os outros sorrir. Foi um excelente aprendiz. Entendeu que a felicidade, tão famosa e tão pouco vivenciada, não se sustenta apenas com a emoção: ela precisa ser irrigada com ferramentas inteligentes.

TGE 5 – Pensar como humanidade

Treinar a contemplação do belo constrói os trilhos para a habilidade de se encantar com a existência. O encantamento da existência fundamenta a liberdade emocional. A liberdade emocional coloca combustível no prazer de se doar. Se irrigado farta e fortemente, o altruísmo evolui para a capacidade de pensar como humanidade. E pensar como humanidade é a mais notável função não cognitiva, a mais bela característica da inteligência socioemocional. Deveríamos ensinar isso a todos os alunos de todas as religiões, de todos os povos, de todas as escolas do mundo. Se não ensinar essa função nobilíssima da gestão da emoção, a Europa se incendiará nas próximas décadas; conflitos entre islamitas, cristãos, judeus e os governos locais, como França, Inglaterra e Alemanha, explodirão.

A energia emocional é muito mais do que uma rede neural. Ninguém sabe qual é a sua essência, mas tenho a convicção de que ela não se expressa igualmente nem essencialmente em todos os seres humanos. A emoção pode se expandir ou se contrair, dependendo do tipo de educação, treinamento e transmissão do capital das experiências entre pais e filhos, professores e alunos. A capacidade de se emocionar, tanto de se alegrar como de se deprimir, de ser bem-humorado ou mal-humorado, otimista ou pessimista, depende de refinadas habilidades do Eu, as quais são passíveis de ser esculpidas nas relações interpessoais.

Hitler contraiu sua sensibilidade ao longo do adestramento mental que sofreu e que, ao mesmo tempo, patrocinou como jovem líder do Partido Nazista. Quando ascendeu ao poder e começou a aniquilar minorias, asfixiou ainda mais as emoções que o tornavam humano. Quando sustentou a solução final para levar a cabo o extermínio em massa de judeus e a eutanásia social, que objetivava eliminar doentes mentais alemães e crianças especiais, a quantidade e a qualidade de suas janelas traumáticas, capazes de fechar o circuito da memória e sequestrar o Eu da função de gestor da mente, se avolumaram e o desumanizaram. Já não havia ali um *Homo sapiens*, mas um monstro.

Por outro lado, judeus que, sob a pressão dramática dos policiais da SS, eram obrigados a executar tarefas inumanas nos campos de concentração, como atirar o Zyklon B (pesticida que asfixiava) nas câmaras de gás ou carregar corpos de outros presos e atirá-los em valas comuns, também contraíam sua energia emocional, perdiam sua capacidade de se colocar no lugar dos outros e de se emocionar com a dor de seus pares.

A energia emocional não é estática nem tem sempre o mesmo volume, intensidade e qualidade. Ela é muito mais do que um pool de estímulos neuroelétricos: é um mundo insondável e misterioso. Um dia confirmaremos que ela é metafísica. Mas, independentemente dessa confirmação, quem vive para si, chafurdando na lama do egoísmo, pode contraí-la perigosamente. Quem se submete à pressão e à competição predatória nas empresas pode perder a leveza e o encanto pela vida. Executivos que trabalham dia e noite podem viciar-se em metas e esquecer que eles próprios e seus colaboradores são seres humanos e têm necessidades vitais que vão muito além de salário e bônus. Empresas adoecem mesmo tendo muito dinheiro, principalmente quando sangram a emoção de seus colaboradores.

Pensar como humanidade resgata nossa sensibilidade, expande a energia emocional. Os que realizam trabalho social voluntário têm mais chances de ser felizes do que os que só se preocupam em acumular bilhões de dólares, conquistar poder e títulos acadêmicos. Mas, claro, poder financeiro e social pode ser de grande valia se usado para contribuir com a sociedade. Pensar como humanidade nutre vigorosamente a regra das regras de ouro da gestão da emoção: a melhor forma de irrigar a felicidade inteligente e a saúde emocional é investir no bem-estar de nossa espécie e do meio ambiente.

Os ditadores e os senhores de escravos estrangularam a própria emoção, mutilaram seu prazer de viver por não pensarem como família humana. Sob o ângulo da gestão da emoção, não é possível controlar os outros e ser, ao mesmo tempo, bem-aventurado, estável, saudável. Calígula, Hitler, Stalin, Pol Pot, Papa Doc e todos os milhares de seres humanos do passado e do presente que foram infectados pela necessidade neurótica tornaram-se, sem saber, os mais infelizes e miseráveis da Terra. O prazer de viver e a liberdade emocional exigem libertar os outros, e não os confinar.

Preservar o direito dos outros e sua saúde física e emocional, independentemente de raça, religião, cor, sexo, cultura, é a melhor maneira de preservar os próprios direitos fundamentais. Nada promove tanto a saúde emocional quanto pensar como humanidade, quanto romper a masmorra do individualismo e do egocentrismo.

Se intelectuais saíssem da clausura e atuassem mais no teatro social, se políticos se posicionassem como servos e não como líderes a serem servidos, se as escolas ensinassem as complexas funções da inteligência socioemocional, como pensar antes de reagir e se colocar no lugar dos outros, e não apenas o pensamento lógico e informações exteriores, se cristãos, muçulmanos, judeus, budistas e ateus respeitassem solenemente aqueles que pensam diferente e dessem o melhor de si para tornar a família humana mais tolerante e generosa, enfim, se o *Homo sapiens* aprendesse a gerir sua emoção para pensar como humanidade e não apenas como grupo social ou como curral ideológico, nossa espécie não seria tão doente, fragmentada, não viveria disputas irracionais, não estaria no limiar da inviabilidade. Haveria menos competição predatória entre as nações e muito mais cooperação social, menos disputas entre as religiões e muito mais solidariedade, menos discriminação das minorias e muito mais inclusão social, menos homicídios e suicídios e muito mais paixão pela vida, menos psiquiatras e psicólogos nos consultórios e muito mais mentes livres e emoção saudável, menos policiais patrulhando as ruas e muito mais crianças e adultos recitando poemas ao ar livre. Sim, haveria menos prisões e muito mais museus, menos guerras e muito mais celebração da paz...[1]

TGE 6 – Doar-se sem esperar contrapartida – A construção da liberdade emocional

O altruísta doa-se para os seus pares, mas o altruísta inteligente doa-se diminuindo a expectativa do retorno, protege-se. Liberdade não é apenas ter o direito de ir e vir, mas de caminhar livremente dentro de si sem ser assombrado por conflitos, sem ser sugado pelos vampiros das preocupações que roubam a tranquilidade. A liberdade psíquica para a gestão da emoção é eleger o Eu como líder de si mesmo, investir em suas habilidades como gestor da mente.

Para a gestão da emoção, a liberdade é mais do que poder expressar as ideias, dialogar e trabalhar em equipe; é penetrar nos porões da psique, fazer uma mesa-redonda com tudo o que nos controla, acender a luz da razão. Liberdade não consiste somente em superar a solidão social, debater ideias e estar no meio de multidões, mas também em fazer companhia a si mesmo, pacificar a ansiedade, abrandar a mente agitada, irrigar o sono, ter um caso de amor com a própria qualidade de vida.

Então, como desenvolver a mais excelente liberdade, a liberdade emocional? Uma das melhores ferramentas é doar-se sem medo aos

---

1. Se você concordar com essa técnica de gestão da emoção expressa no último parágrafo, divulgue-a nas redes sociais, na escola, na empresa, na família, enfim, aonde você for e pelo tanto de tempo que viver. Você fará parte dos *Embaixadores da Paz*, um programa mundial gratuito que estamos desenvolvendo para diminuir a violência na humanidade. Sua saúde emocional agradece.

outros, sem, no entanto, buscar ansiosamente o reconhecimento; ser altruísta e pensar como humanidade ao mesmo tempo que educa o Eu para diminuir o máximo possível a expectativa do retorno. Creio que todos nós falhamos na aplicação dessa ferramenta e, por isso, somos menos livres do que imaginamos.

Os íntimos são aqueles que mais podem nos ferir e, consequentemente, gerar janelas traumáticas que asfixiam o Eu. Quem se doa para o parceiro, para filhos, amigos, alunos ou colaboradores esperando reconhecimento, abraços e agradecimentos, ainda que essa expectativa seja legítima, constrói uma armadilha mental. Cedo ou tarde, os outros nos decepcionarão, bem como viremos a frustrar àqueles que amamos, por mais éticos que sejamos. Quem você já frustrou?

Ninguém nasce livre ou prisioneiro no território da emoção; nasce-se neutro. Mas, se o Eu não aprender a gerir e proteger a emoção ao longo da vida, aumenta o potencial de encarceramento da emoção. Quase todos nós somos encarcerados pelo sofrimento por antecipação, pelo resgate de perdas e mágoas, pelo conformismo, pelo "coitadismo", pelo baixo limiar para frustrações, pela irritabilidade, pela ansiedade ou pelos mais diversos tipos de fantasmas mentais, como medo, ciúme, inveja sabotadora, mau humor, ansiedade, hipersensibilidade, autopunição, autocobrança.

De que tipo de população carcerária você faz parte? Da física ou da emocional? Espero que de nenhuma das duas. Provavelmente apenas 1% das pessoas é plenamente livre no território da emoção, mas sinceramente fui generoso, pois ainda não encontrei um personagem que preenche todos os parâmetros da estirpe dos livres, nem religiosos ou ateus, nem multimilionários ou miseráveis nem intelectuais ou iletrados, nem psiquiatras ou psicólogos. Tampouco eu sinto que sou livre. Apesar de ser um pioneiro em produzir conhecimento sobre a gestão da emoção, sinto-me apenas um ser humano em construção, em busca da mais saudável liberdade: a liberdade mental. Também tive diversos fantasmas emocionais que me assombraram ao longo do processo de formação de minha personalidade, mas, tendo aprendido as Técnicas de Gestão da Emoção, pude adestrar e descaracterizar muitos deles. Em outros, ainda estou trabalhando, educando, reciclando.

O que dificulta que assumamos a autoria de nossa história é o fato de a construção de pensamentos ser multifocal. Além do Eu, há copilotos que atuam na aeronave mental e podem controlar os instrumentos de navegação e provocar acidentes graves, tal qual o copiloto que atirou a aeronave nos Alpes franceses, em março de 2015. Outro entrave sério é nossa impossibilidade de deletar traumas ou janelas killer.

Como a gestão da emoção exige que saiamos de nosso falso heroísmo e nos coloquemos no processo de treinamento para transferir o capital das experiências a nossos treinandos, vou abrir um capítulo de minha história. Um dos fantasmas emocionais que mais me perturbaram na formação de minha personalidade foi a hipersensibilidade. Em minha juventude, pequenos problemas, como críticas e contrariedades, tinham grande impacto sobre mim. Eu sofria muito por antecipação, vivia a dor dos outros. Pessoas hipersensíveis costumam ser generosas, contudo são péssimas para si mesmas. Eu me doava, porém esperava demais dos outros, cuja opinião tinha grande peso em minha história.

A hipersensibilidade surgiu mais fortemente quando, aos 6 anos de idade, desenvolvi uma janela killer duplo P, ou seja, com o poder de sequestrar meu Eu e se retroalimentar e formar um núcleo traumático. Minha mãe, querendo me ajudar a ter responsabilidade, disse que meu canário havia morrido por minha culpa; e, pior, que havia morrido de fome porque eu não o tratara bem. Jamais conheci uma pessoa tão amável quanto minha mãe, mas mesmo pessoas generosas falham. Provavelmente, não foi essa a causa da morte do pequeno animal, porém o fenômeno RAM registrou uma janela traumática poderosa e inesquecível em minha mente. Eu pensava e repensava aquela perda. Colocava-me no lugar do canário e vivia sua dor.

Muitos anos depois, já como pesquisador, entendi que os estímulos estressantes podem abrir janelas cruzadas. Por exemplo, uma janela ou um arquivo que representa a fobia de barata pode ser aberta diante de outro animal, como uma aranha ou uma cobra, gerando reações cruzadas de pânico ou pavor. Esse processo ocorreu comigo, e eu vivi uma hipersensibilidade cruzada. A sensibilidade à dor dos animais foi transferida para a dor humana. Eu não me preocupava simplesmente com a dor dos outros – eu a vivia. Tornei-me desprotegido diante de críticas, rejeições e frustrações, inclusive durante o curso de medicina. Faltou-me desenvolver "pele" emocional – a pele física é o maior órgão do corpo e existe para, entre outras funções, protegê-lo. Minha emoção não tinha proteção básica, o que me fazia vender minha liberdade por um preço vil.

E você, é algoz de si mesmo? Tem pele emocional?

Estudar, produzir conhecimento e discursar sobre as Técnicas de Gestão da Emoção foram um bálsamo para mim, um convite a correr a maratona da vida com liberdade e prazer de viver – mesmo que eu não chegue entre os primeiros. Se equiparmos nosso Eu para ser gestor e ter autocontrole, veremos o sol da liberdade pontear como estrias de ouro em nossa psique, levando-nos ao doce aroma da liberdade e ao encanto pela vida.

Muitas celebridades, líderes políticos, milionários e poderosos reis tiveram, como qualquer ser humano, fome e sede da felicidade inteligente e da saúde emocional, mas poucos as alcançaram. Miraram-nas de longe, galgando poder, *status* social, segurança financeira, porém erraram o alvo. Eles não compreenderam que o poder não as seduz. Passaram pela vida e não descobriram que elas precisam ser construídas através da gestão da emoção e que o material necessário para essa construção se encontrava dentro de cada um e nas coisas simples e anônimas...

TGE 7 – Ter estabilidade emocional: não comprar o que não nos pertence

Depois de praticar as seis primeiras Técnicas de Gestão da Emoção que compõem a MegaTGE da construção da felicidade inteligente e da saúde emocional, a sétima técnica – a estabilidade emocional – se torna tão natural e espontânea quanto o orvalho em uma bela manhã. Eu vivi essas técnicas não apenas como profissional de saúde mental, mas em minha própria história; ainda assim, me sinto um eterno aprendiz.

Antes de tudo, temos de entender que não é possível ter uma emoção linear, plenamente estável. Drama e comédia, sorrisos e lágrimas, sucessos e fracassos alternam-se na vida de todo ser humano, o que nos leva a experimentar uma flutuabilidade inevitável. Mas é importante termos consciência de que é possível e vital desenvolver estabilidade emocional básica ou fundamental.

Quem deseja ser um grande empreendedor, um brilhante profissional liberal, um espetacular executivo ou até mesmo um notável estudante universitário deve saber que, no período de conquista, se estressará mais do que o normal, precisará se dedicar, ler, se reinventar e trabalhar mais do que os outros. Uma pessoa estressada tem uma emoção flutuante: ora está tranquila, ora irritada; num momento, parece ter autocontrole, noutro, tem reações explosivas. Entretanto, é possível, durante a estressante trajetória da conquista e desde que aplicadas as TGEs, proteger a emoção para mitigar a ansiedade e diminuir a flutuabilidade emocional.

Ser emocionalmente saudável não é ser alegre sempre, mas preservar o máximo prazer de viver; não é ser destituído de ansiedade, e sim gerenciá-la para experimentar a tranquilidade tanto quanto possível; não consiste em não se deixar ser abarcado pelas preocupações e pelo humor triste, mas navegar nas águas da emoção para não sucumbir às tormentas. Você sabe navegar nas águas da emoção?

Ser emocionalmente saudável é educar o Eu para não comprar o que não lhe pertence, como atritos e intrigas que não criou, críticas injustas e discórdias que não fomentou. É não fazer do território da emoção uma lata de lixo, uma terra de ninguém que qualquer pessoa pode invadir e furtar. Você compra o que não lhe pertence?

7

O *coaching* na história: o Império Romano

O Império Romano sobreviveu por mais de 700 anos. Foi o império mais longevo da história. Muitos impérios se levantaram e caíram, como o babilônico, o assírio, o alexandrino; a União Soviética durou menos de três quartos de século; os Estados Unidos perderão sua hegemonia econômica e sociocultural nas próximas décadas; e não há nenhuma garantia de que a China terá bases sólidas para ser tão longeva em sua liderança global.

Como todo império que usou armas para dominar os povos, o romano foi uma fonte de injustiça. Ninguém ama ser dominado. Pela liberdade, cavam-se túneis, debatem-se ideias, faz-se greve, deflagram-se movimentos sociais, sacrificam-se vidas. Roma dominava terras estrangeiras e seus governos, porém oferecia garantias mínimas aos povos subjugados, como segurança social e jurídica e liberdade de opinião, o que atenuava a insatisfação destes com o controle central. O respeito pela liberdade, pela cultura e pelas práticas religiosas dos povos dominados constituiu uma poderosa técnica de *coaching* emocional por parte do império, a qual irrigava o inconsciente coletivo dos povos, tendo sido um dos grandes segredos de sua longevidade.

O Império Romano era mais imponente do que seus césares. Muitos foram assassinados, como Júlio César, Calígula e Cláudio, mas as instituições permaneciam fortes, impedindo, por longo tempo, a fragmentação do império. Ser cidadão romano tornou-se uma marca de consumo emocional desejada pelas pessoas proeminentes dos mais diversos povos e culturas.

O risco de toda instituição que se agiganta, no entanto, é perder sua sustentabilidade. O Império Romano se expandiu, e o gasto mensal para custear a máquina do governo e as legiões de exércitos se tornou pouco a pouco insuportável. Em minha opinião, além de fatores geopolíticos, o que mais contribuiu para a fragmentação do Império Romano foi a falta de administração dos gastos governamentais, que exigiam recursos cada vez mais vorazes e cobranças elevadas de impostos das nações dominadas. O estado tornou-se uma "empresa" mastodôntica, ineficiente, corrupta e lenta em reescrever sua história.

Outro segredo ou técnica de *coaching* que explica a sustentabilidade do Império Romano é o treinamento das legiões militares. Toda guerra é detestável, ainda que algumas sejam "legítimas". Numa guerra, nunca há vencedores, há somente menos perdedores. E os que mais perdem são os anônimos no *front*, que, embora preencham as estatísticas, não são números, mas seres humanos únicos que amam, choram, têm pesadelos, tal qual seus líderes lotados em gabinetes. Numa existência assombrosamente curta, todos repousaremos em breve na solidão de um túmulo. A morte é o carrasco-mor dos mortais. Todos a detestam, mesmo os suicidas. Todo pensamento sobre a morte é uma homenagem à vida, pois só a vida pensa.

À parte esse pensamento filosófico, não resta dúvida de que o treinamento militar é primordial para vencer batalhas. Um exemplo clássico disso se encontra numa das batalhas mais atrozes empreendidas pelo Império Romano: a destruição de Jerusalém no ano 70 d.C., pelo general Tito. Quem estuda história sabe que Israel, embora tenha sido controlado por diversos impérios, sempre foi um rebelde voraz contra a castração da liberdade. Calígula, o sucessor de Tibério César, o imperador romano na época da crucificação de Jesus, disse com doses de raiva que o povo judeu era o único que não se submetia a seu poder e sua divindade.

Três décadas depois, os judeus se rebelaram contra o império. Mas, dessa vez, eles se encastelaram em Jerusalém, protegida por suas grandiosas muralhas. O filho do imperador romano Vespasiano, o general Tito, foi o encarregado de subjugar a nação rebelde e colocá-la sob o cabresto de Roma. Foi uma batalha difícil e violenta. Os judeus não cediam, rechaçavam toda tentativa de invasão.

Tito enviou ordens de que pouparia a cidade se eles se submetessem, mas os líderes judeus não o ouviram. Foi então que o general tomou uma atitude paciente, porém completamente inumana. Ele sitiou a cidade com sua legião de soldados e asfixiou os meios de sobrevivência do inimigo, não apenas dos militares, mas de toda a população civil. Os meses se passaram, e a fome invadiu ruas, praças e casas. O sofrimento foi tão insondável que há relatos de familiares que se nutriram da carne de parentes mortos.

Por fim, o resultado não poderia ter sido pior. Mais de 1 milhão de inocentes foram mortos, sem distinção: homens, mulheres, idosos, crianças. Antes da queda de Jerusalém, o implacável Tito dissera ao historiador Josefo, que anotava o comportamento do general naquela batalha: o exército romano era o único que, mesmo em tempo de paz, treinava seus soldados.

Apesar de ser impossível deixar de lado o drama que sofreu o povo judeu, vemos uma técnica de gestão da emoção poderosa nesse episódio: nenhum grande líder relaxa nas primaveras; em vez disso, aproveita para treinar suas habilidades e se preparar para os invernos existenciais. O sucesso é mais difícil de trabalhar do que o fracasso. A sustentabilidade do sucesso depende de golpes elevados de inteligência, reinvenção e inovação. O risco do sucesso é se embriagar com ele, crer que ele se eternizará, não ter consciência de sua efemeridade.

O apogeu do sucesso, em quase todas as áreas, da esportiva à musical, da empresarial à institucional, dura, frequentemente, dois anos; esporadicamente, cinco anos; e, mais raramente, dez anos. A durabilidade do sucesso depende da preparação para a guerra em tempo de paz e da capacidade de se reinventar no palco quando os aplausos irrompem, tal como fazia o exército romano.

Essa técnica de gestão da emoção não objetivava apenas propiciar vantagens musculares aos militares das legiões romanas, mas – e principalmente – promover privilégios emocionais, como consolidação da autoestima e estruturação da autoimagem dos soldados. Empresas saudáveis precisam de treinamentos objetivos para ganhar musculatura e se tornar competitivas, porém não podem deixar de irrigar o território da emoção de seus colaboradores, de consolidar a autoestima e a autoimagem deles, ou seja, de refinar a maneira como se sentem e se veem.

Além disso, o treinamento do exército romano funcionava como uma espécie de propaganda capaz de prevenir rebeliões dos mais diversos povos. A força de seu marketing era tão ou mais poderosa do que sua força militar. Os romanos se vendiam de forma espetacular, silenciando uma parte significativa dos fantasmas mentais de seus adversários. De forma similar, Hitler usou a força do marketing à exaustão; ele mesmo era um estrangeiro, austríaco, não tinha o biótipo ariano, mas, mesmo assim, conseguiu seduzir a sociedade alemã propagandeando interminavelmente que ele era o alemão dos alemães.

Quando Tito derrotou Jerusalém, foi possuído por uma fúria incontrolável. Tornou-se um dominador-escravo, ou seja, escravo de sua emoção. Golpeado pelo ódio, não deixou pedra sobre pedra na cidade, na ânsia de destruir todos os símbolos que preservavam a identidade judaica. Os cativos, emagrecidos e combalidos, foram levados a Roma como "troféus" e usados como escravos em um dos maiores projetos de engenharia da história, uma das maravilhas arquitetônicas do mundo, o Coliseu. Dez longos anos foi o tempo que essa magna construção demorou para ser concluída. Hoje, milhões de turistas o visitam deslumbrados, sem saber que aquelas imensas pedras perfeitamente encaixadas presenciaram lágrimas inexprimíveis e dores indecifráveis.

Como vimos, quem não gere sua emoção e não treina sua sensibilidade não ouve o inaudível. Você ouve? Muitos pais nunca ouviram as angústias existentes nos porões da personalidade de seus filhos; muitos professores não enxergam as crises que há por detrás da irritabilidade de seus alunos. Eles desconhecem as mais brilhantes TGEs.

O *coaching* do passado e o *coaching* moderno

O treinamento de habilidades físicas, sociais e intelectuais sempre esteve presente na história humana: de Gênesis a Roma, passando pelo Império Otomano. Com o decorrer dos séculos, as escolas deixaram de ser privilégio de uma casta de nobres, tendo aberto suas portas para as massas. Entretanto, antes do século XVI e do surgimento das escolas, a educação não era transmitida no pequeno microcosmo da sala de aula; as crianças, dos 7 aos 15 anos, deixavam suas famílias para ser treinadas pelos mestres. Aprendiam a arte da ferramentaria, da tecelagem, da selagem de animais, da produção de vinhos.

Elas não eram alfabetizadas para ler e escrever, mas "alfabetizadas" em uma profissão. Observavam os comportamentos e aprendiam as habilidades de seus líderes. Aprendiam a aprender e aprendiam a fazer – uma TGE preciosa. Porque não basta ouvir, é preciso aprender a aprender; não basta entender, é preciso aprender a fazer. Muitas pessoas parecem deficientes mentais, mas não são; elas têm limitações cognitivas porque não aprenderam a se concentrar, assimilar, organizar o conhecimento, enfim, não aprenderam a aprender. Parecem também inábeis, lentas, relapsas, repetem os mesmos erros, pois não libertam seu imaginário para ter garra para fazer.

Naquele tempo, erros, dificuldades, limitações, gestos descoordenados eram superados no processo eficiente de aprendizado entre mestre e aluno. Os mundos do treinador e do treinando se cruzavam.

A educação era "*coaching* na veia", carregado de sentido existencial e prático, diferente do que se vê nas escolas de hoje, em que o excesso de informação diminui a inspiração, aborta a criatividade, fomenta a ansiedade – em destaque, a Síndrome do Pensamento Acelerado – e, contraditoriamente, retrai o conhecimento.

Apesar de os professores serem fundamentais no teatro social, o sistema educacional está doente, formando pessoas doentes, sem gestão emocional. Entre os vários erros da educação clássica, está a transformação de alunos em espectadores passivos. Mestre e alunos vivem hoje em mundos distintos. Professores não se colocam no processo, não falam de suas dificuldades, perdas, derrotas. Portanto, não provocam a formação de janelas light que subsidiem a capacidade de superação dos conflitos existenciais de seus alunos. Esse modelo desinteligente se esgotou na era digital, em que *smartphones* seduzem a atenção dos alunos muito mais do que mestres cultos e eloquentes.

Em 1500, a palavra inglesa *coach* estava ligada ao transporte por tração animal. O *coach* era um condutor de carruagens que levava as pessoas de um ponto a outro. Posteriormente, o *coach* se tornou o tutor que, no século XVIII, guiava as crianças pelos diversos campos das ideias – em analogia com as carruagens que transportavam as famílias pelos campos da Inglaterra. Essa é a transição mais aceita sofrida pela palavra *coach* do passado para o presente.

O *coach* moderno precisa manter algumas de suas características originais. Um gestor da emoção nunca pune seus alunos: ele os instrui; nunca asfixia as habilidades deles: ele as oxigena; nunca intimida os clientes com seu conhecimento: ele os leva a ser ousados, a percorrer caminhos inexplorados, principalmente os que levam para dentro de si.

Quem desenvolve um Programa de Gestão da Emoção conduz seus clientes a ter autoconsciência, mapear limitações, fazer um diagnóstico das necessidades, desenhar metas claras para a carreira, as finanças, os relacionamentos, a qualidade de vida. Trabalha – ou deveria trabalhar – as ferramentas que envolvem o sofisticado mundo do Eu como gerente da mente. Somente nessas áreas, nós podemos extrair muitas Técnicas de Gestão da Emoção. O *coach* torna-se um condutor do conhecimento, um catalizador do processo de interiorização e elaboração da experiência.

Outra característica do *coaching* do passado está relacionada ao comportamento das famílias abastadas, que, em longas viagens, costumavam levar nas carruagens servos cultos, os quais liam em voz alta para as crianças aquilo que estas deveriam aprender na vida e na escola para se tornarem adultos maduros e hábeis.

O *coaching* moderno também deve carregar esse princípio do passado. O *coach* não é maior que seus *coachees* (treinandos ou clientes); ao contrário, ele deve se colocar como um servo no processo educacional. O *coach* não deve dominar seus aprendizes. Ele não é necessariamente mais culto e experiente do que seus treinandos, mas um condutor do potencial que está represado dentro deles.

Alguns técnicos esportivos têm habilidades atléticas tímidas em comparação com os esportistas que treinam. Então, por que são eficientes? Porque têm outras especialidades ligadas à gestão da emoção:

1. disciplina para treinar incansavelmente;
2. determinação para sobreviver ao cárcere da rotina;
3. anti-imediatismo para valorizar o processo tanto ou mais do que o resultado;
4. planejamento a médio e longo prazo para construir resultados sustentáveis;
5. coragem para enfrentar os riscos, pois, sem riscos, nós nos encarceramos na masmorra do tédio;
6. humildade para valorizar as vitórias e generosidade para exaltar os derrotados;
7. capacidade de se reinventar no caos quando o mundo desaba sobre si.

Por terem tais habilidades em sua mente, esses técnicos são condutores das habilidades de seus treinandos. Um bom *coach* da gestão da emoção não cria nada, apenas descortina o que já existe; não produz o vencedor, apenas remove os obstáculos que impedem que este alcance o pódio.

8

MegaTGE: Saúde emocional – Mapeamento dos fantasmas mentais e superação de conflitos

TGE 1 – Renunciar a ser perfeito

A primeira Técnica de Gestão da Emoção para desenvolver qualidade de vida vem de uma importantíssima abdicação: a renúncia à necessidade neurótica de ser perfeito. Se você quer viver dias tranquilos, seu compromisso não é evitar todos os erros, e sim não se punir quando eles aparecerem; não é ter um comportamento dosado em todas as situações, mas relaxar quando for incoerente; não é se declarar herói, e sim brincar com suas fragilidades.

Uma pessoa cartesiana, excessivamente lógica, que não admite falhas e erros, torna-se uma bomba para seu próprio cérebro, um carrasco de sua saúde emocional e um franco-atirador que mata a tranquilidade de seu cônjuge, de seus filhos, seus amigos, seus colegas de trabalho. Conheci franco-atiradores psíquicos ao longo de minha jornada como psiquiatra, psicoterapeuta e treinador da gestão da emoção. Ainda que fossem cultos e capazes para dirigir empresas, eram péssimos líderes de si mesmos, fonte de estresse ambulante; eram rapidíssimos em criticar e lentíssimos em elogiar, levando todos com quem conviviam a pisar em ovos.

Se somos perfeccionistas, é tempo de fazermos uma cirurgia em nosso estilo de vida. Pois quem não renuncia à necessidade ansiosa de ser perfeito não aplaude a própria humanidade, perde a essência e esgota a energia vital. A gestão da emoção grita alto e bom som que nossa qualidade de vida ganha musculatura quando aceitamos ser seres humanos imperfeitos e passamos a dar risada de nossa estupidez, debochar de nossos medos, ironizar nossas falhas, brincar com os erros dos outros. Sim, a saúde emocional ganha fôlego quando passamos a abraçar mais e cobrar menos, a encorajar mais e punir menos, a dar sempre uma nova chance para nós e para quem amamos.

Você é um perfeccionista e, portanto, uma fonte de estresse, ou é um ser humano que assume suas imperfeições e, assim, se torna uma fonte de tranquilidade para si e para os outros? Muitos executivos não se reinventam quando falham e não cumprem suas metas porque cobram demais de si mesmos. Muitos líderes não libertam o imaginário e a criatividade de seus colaboradores porque são implacáveis quando tropeçam.

Muitos maridos e mulheres exigem perfeição um do outro e vivem se digladiando. Não se divertem nem relaxam quando um dos dois falha. Não se apoiam mutuamente – ao contrário, cobram cada detalhe do comportamento que desaprovam. São ótimos para trabalhar numa financeira, mas não para construir um romance sustentável, agradável, que se retroalimenta. A melhor maneira de destruir um romance, mesmo um que começou no céu da afetividade, é diminuir os níveis de tolerância e aumentar os de cobrança.

TGE 2 – Ter autoconsciência

Após renunciar à necessidade neurótica de sermos perfeitos, estamos aptos a avançar para a segunda Técnica de Gestão da Emoção, que conquista os patamares mais nobres da qualidade de vida: a autoconsciência. Não basta que nos coloquemos como seres humanos imperfeitos; é necessário que sejamos autoconscientes, nos interiorizemos, entremos em camadas mais profundas de nosso próprio ser, encontremos o mais importante de todos os endereços, que fica dentro de nós mesmos.

Quem não exercita a autoconsciência vive a pior de todas as solidões, a solidão à qual ele mesmo se abandona. Caminha sem metas, fadiga-se sem propósito, navega sem direção no oceano da existência. Não sabe minimamente aonde quer chegar como profissional, parceiro, educador, nem como ser humano. Quem não treina a autoconsciência não se questiona, não desenvolve consciência crítica nem dá sentido à sua existência; torna-se um zumbi social, facilmente manipulável, adestrável ou encarcerado por seus fantasmas mentais ou por ideologias radicais.

A autoconsciência é um fenômeno vital para encorpar o processo de gestão da emoção. Sem ela, todo treinamento se torna uma ilusão, como técnicas de motivação que não resistem ao rolo compressor da segunda-feira. E gestão da emoção não é um conjunto de técnicas de motivação, mas sim um conjunto de ferramentas revolucionárias e complexas de aplicação psicológica. A práxis da autoconsciência exige coragem para nos bombardearmos com questionamentos transparentes e profundos nas mais diversas áreas de nossa existência:

1. Quanto à nossa essência: "Quem sou?"; "Eu cuido de minha qualidade de vida ou traio minha saúde emocional?"; "Sou estressado ou relaxado, flexível ou radical, aberto ou exclusivista, generoso ou preconceituoso, afetivo ou autoritário?"; "Sou autor de minha história ou inseguro, tímido, manipulável?"; "Dirijo meu *script* ou sou dirigido pelos outros ou pelas intempéries da vida?".
2. Quanto aos conflitos: "Que traumas me assombram e me controlam?"; "Que fobias me encarceram?"; "Quais preocupações, falsas crenças e crenças limitantes me dominam?"; "Sou bem-humorado ou mal-humorado?"; "Sou otimista, pessimista ou um ser humano sem tempero emocional?".

3. Quanto às relações sociais: "Como está minha relação com meus filhos, meu parceiro ou meus colaboradores?"; "Sou um especialista em dialogar ou em criticar, em promover ou em diminuir a quem amo?"; "Onde falho, me escondo ou me acovardo?"; "Quem preciso resgatar, conquistar e a quem devo pedir desculpas?"; "Como posso contribuir para tornar os outros mais felizes, livres e emocionalmente saudáveis?".
4. Quanto à eficiência profissional e aos projetos de vida: "Sou uma máquina de trabalhar ou um ser humano que tem sentido existencial?"; "Sou embriagado pelo conformismo ou tenho sede e fome de aprender, coragem intensa de me reciclar?"; "Sou aberto a críticas ou tenho a necessidade neurótica de ser perfeito?"; "Posiciono-me como um deus intocável ou como ser humano em construção?"; "Quais são meus mais importantes sonhos?" e "O que faço para transformá-los em realidade?"; "Sou traidor de meus projetos de vida?"; "Tenho foco e disciplina ou os enterro debaixo do tapete de meu excesso de atividade?".

Gestão da emoção exige consciência crítica, e consciência crítica exige um olhar íntimo saturado de indagações, bem como colocar-se contra a parede nas mais variadas áreas da vida, fazer uma radiografia, ainda que deficiente, das mazelas e miserabilidades psicossociais. Quem vive para fora não faz a jornada interior e, portanto, não alcança qualidade de vida nem saúde emocional, tampouco se torna um ser humano realizado.

TGE 3 – Automapeamento – Fazer o diagnóstico dos fantasmas mentais e das falsas crenças

A autoconsciência abre espaço para a terceira ferramenta desta Mega-TGE: o automapeamento. Quem não se automapeia não se localiza, não sabe se está destruindo ou contribuindo para sua empresa, enriquecendo ou empobrecendo seus colaboradores, bloqueando ou promovendo seus filhos ou alunos, brilhando ou asfixiando a pessoa que escolheu para dividir sua história. Só depois de se bombardear de perguntas e procurar respondê-las com honestidade é que se desenha o mapa dos fantasmas mentais.

Quais são os fantasmas mentais que sabotam nossa qualidade de vida, nossa atividade profissional e nossas relações sociais? São inúmeros, e citarei alguns deles aqui:

1. timidez e insegurança;
2. autopunição;
3. sentimento de culpa;
4. sentimento de vingança;
5. complexo de inferioridade;
6. ciúme;
7. fragmentação da autoestima;
8. fobias (fobia social, agorafobia, claustrofobia, tecnofobia, fobia de animais);
9. baixo limiar para frustrações;
10. irritabilidade, impaciência e flutuação emocional exagerada;
11. dificuldade de pedir desculpas e se curvar em agradecimento;
12. angústia;
13. impulsividade;
14. ansiedade;
15. depressão;
16. mau humor;
17. pessimismo;
18. doenças psicossomáticas;
19. vigorexia;
20. transtornos alimentares (anorexia, bulimia);
21. dependência química;
22. transtorno obsessivo compulsivo (TOC);

23. conformismo;
24. coitadismo;
25. necessidades neuróticas (necessidade de poder, de estar sempre certo, de ser o centro das atenções, de falar compulsivamente, de se preocupar com a imagem social);
26. egocentrismo;
27. individualismo;
28. autoabandono;
29. solidão social;
30. inveja sabotadora;
31. sofrimento por antecipação;
32. ruminação de perdas e frustrações;
33. cobrança excessiva;
34. autocobrança;
35. compulsão por reclamar;
36. dificuldade de se reinventar;
37. déficit de proteção emocional;
38. hipocondria ou medo de doenças etc.

Quem tem medo de olhar para si e encontrar seus fantasmas mentais será aterrorizado por eles a vida toda. É vital que façamos um diagnóstico mínimo e empírico de nossas limitações, imperfeições, dificuldades, desempenho. Não é possível falar em gestão da emoção sem ter coragem para se colocar em xeque.

Tenho feito treinamento de gestão da emoção não apenas com empresários, mas também com seus filhos, para que estes aprendam a ser líderes, e não consumidores irresponsáveis; para que se transformem em sucessores, e não em herdeiros. Herdeiros vivem na sombra de seus pais, enquanto sucessores constroem seu próprio legado; herdeiros querem tudo rápido e pronto, enquanto sucessores elaboram seus projetos; herdeiros reclamam de tudo e de todos, enquanto sucessores se curvam em agradecimento; herdeiros têm baixos níveis de automapeamento e resiliência, não suportam ser contrariados, ao passo que sucessores aprendem a proteger sua emoção e a trabalhar perdas e frustrações.

Certa vez, fiz o Programa de Gestão da Emoção com um executivo de 35 anos, de origem alemã, viciado em relógios, dos quais os mais baratos valiam 50 mil dólares, e em carros de luxo. Era um herdeiro que compensava seus conflitos sendo um consumidor voraz de produtos, e não de ideias. Embora fosse inteligente, ele achava que sua personalidade não era abarcada por grandes conflitos.

Levá-lo a ter autoconsciência e fazer um automapeamento foi o primeiro passo da gestão de sua emoção. À medida que se interiorizava e se mapeava, descobria seus fantasmas mentais e ficava perplexo. Ele não achava que tinha tantas características doentias em sua personalidade: necessidade neurótica de evidência social, de poder; preocupação excessiva com a opinião dos outros; baixo limiar para frustração; autopunição; insegurança; fobia social ou medo de falar em público; falta de projetos de vida consistentes; déficit enorme como líder e empreendedor; comportamento de consumidor irresponsável.

Ter fortuna ao nascer, ser superprotegido, viver debaixo do consumismo, essas coisas podem ser desejadas por milhões de jovens, mas representam uma desvantagem competitiva enorme, pois asfixiam a habilidade do Eu de construir sua própria história e nutrem o comportamento de herdeiro, não o de sucessor.

Muitos herdeiros, seja de fortuna, seja de cultura, têm de descobrir que, sem gestão da emoção, mesmo mentes brilhantes se destroem. Todos têm de treinar séria e continuamente seu Eu para superar o cárcere da emoção, filtrar estímulos estressantes e descobrir que a grandeza de um ser humano está no que ele é, em sua inteligência e generosidade, e não no que possui.

Voltando ao exemplo em questão, solicitei ao jovem executivo que andasse algumas vezes de transporte público para saber que um ser humano espremido dentro de um ônibus apinhado tem o mesmo valor e a mesma complexidade intelectual que aquele que anda numa Ferrari. "Mas tenho medo de ser sequestrado!", ele disse. "Mas você já está sequestrado. Seus maiores inimigos estão dentro de si", respondi, encerrando a questão.

Ninguém é digno de poder se não exalta a grandeza das pessoas que o rodeiam. O automapeamento profundo desenvolve em nós consciência crítica, leva-nos a ser, acima de tudo, seres humanos em construção, e não deuses. Deuses são um problema para a humanidade. Quem não se mapeia não recicla loucuras, erros, inveja, raiva, ódio, fobias, culpa, insegurança, autossabotagem; vive na superfície da mente e nunca entrará em camadas mais profundas de seu próprio ser – será um estrangeiro em sua própria terra.

TGE 4 – Estabelecer metas claras

Depois do automapeamento, outra Técnica de Gestão da Emoção entra em cena: a definição de metas claras. Estabelecê-las é vital para saber onde se está e aonde se quer chegar. Metas claras são os trilhos que levam ao desenvolvimento de projetos a médio e longo prazo; são o alicerce do treinamento contínuo e incansável. Sem metas claras, não é possível afinar trajetórias. Se uma pessoa não percebe que é compulsiva, tímida, arrogante, egocêntrica, conformista, ansiosa, enfim, se não sabe quem é e onde está, como saberá aonde quer chegar? Ela perde os parâmetros, anda em círculos. E quem anda em círculos gasta energia cerebral inutilmente, além de correr o risco de ser asfixiado por três necessidades neuróticas: de ser o centro das atenções, de estar sempre certo e de poder.

Toda pessoa que não tem metas claras para educar seus filhos ou alunos ou para treinar seus colaboradores corre o risco de ter reações anacrônicas: ora enfrenta, ora foge; ora se intimida, ora é autoritária. Tais paradoxos são o reflexo típico de alguém confuso, perturbado, desnorteado. Alguns, embora estejam confusos, não admitem que estão perdidos; ao contrário: infectados pela necessidade neurótica de estar sempre certos, vendem a ideia de que são um messias, de que têm convicção do que fazem. São profissionais liberais que não admitem que estão ultrapassados e não se reciclam; são empresários que não reconhecem erros e não se reinventam; são pais que reproduzem no trato com seus filhos o comportamento de seus próprios pais que tanto criticavam; são cônjuges destruidores da relação, que não querem enxergar que estão levando seu romance à falência.

Metas claras são fundamentais para uma pessoa impulsiva abrandar sua reatividade; para um jovem divorciado da matemática financeira se tornar um consumidor responsável; para um executivo mal-humorado aprender a dar risada de suas tolices e de sua rigidez; para uma mulher especialista em reclamar tornar-se uma perita em agradecer.

TGE 5 – Ter foco e disciplina

Ter metas claras prepara o caminho para ter foco e disciplina, outra técnica fundamental da MegaTGE para promover a saúde emocional. Sem foco, atira-se para todos os lados, gasta-se energia vital do cérebro de forma inadequada, perdem-se tempo, trabalho, dinheiro e não se constroem pontes que levem aos lugares que desejamos.

Sem disciplina, sucumbe-se ao imediatismo, à necessidade doentia de querer tudo rápido e pronto. Nesse caso, refazer rotas torna-se utópico, consolida nossos defeitos e eterniza nossa falibilidade e nossa fragilidade.

Sem o veículo da disciplina, o fenômeno RAM não é acionado para construir diariamente plataformas de janelas light e, assim, desenvolver funções notáveis da inteligência socioemocional, como autoestima, exposição – e não imposição de ideias –, proteção da mente, ousadia, bem como as capacidades de explorar, ter pensamento estratégico, negociar, trabalhar a autoimagem, influenciar pessoas.

A intencionalidade não muda a personalidade. Por quê? Porque as intenções de mudança geram janelas saudáveis solitárias, agulhas no palheiro da memória, as quais o Eu não consegue acessar nos focos de tensão.

Uma pessoa tímida que diz "De hoje em diante, serei segura" conseguirá sê-lo? Talvez por uma hora. No entanto, quando estiver numa reunião de trabalho ou prestes a dar uma conferência, não encontrará uma janela saudável, apenas algum dos milhares de janelas ou arquivos doentios que financiam sua timidez. A grande maioria dos seres humanos, por não ter foco e disciplina para produzir plataformas de janelas light, não recicla sua insegurança, sua preocupação excessiva com a opinião dos outros, sua agitação mental, sua hipersensibilidade, sua impulsividade, seu pessimismo, seu conformismo, suas fobias ou seu mau humor.

Sem foco e disciplina levamos para o túmulo nossos conflitos, crenças limitantes, falsas crenças, traumas. Flutuamos entre o céu e as tempestades emocionais. Não temos âncora. O que você tem arrastado em sua vida?

TGE 6 – Todas as escolhas implicam perdas

A mais impactante Técnica de Gestão da Emoção grita aos ouvidos de todo ser humano que, sem autoconsciência, não é possível fazer o automapeamento; sem automapeamento, não se definem metas claras; sem metas claras, não há foco nem disciplina; e, por fim, sem foco e disciplina, o Eu se torna incapaz de fazer escolhas importantes e ter a convicção de que todas as escolhas implicam perdas.

O Programa de Gestão da Emoção, fundamentado na Teoria da Inteligência Multifocal, revela que ninguém pode alcançar o essencial se não estiver disposto a perder o trivial. Muitos não refinam suas habilidades, não dão um salto na carreira, não são artesãos de suas relações porque detestam perdas. Não sabem o que fazer quando o mundo desaba sobre si. Querem ser excelentes profissionais, porém são incapazes de ser proativos e de deixar momentaneamente seu lazer para se reciclar; querem brilhar como estudantes, mas detestam transpirar, ler, sintetizar ideias; querem ser notáveis escritores, contudo são indisciplinados, não têm paciência para escrever e reescrever seus textos tantas vezes quanto necessário. São vendedores de ilusões. E, o que é pior, acreditam nelas.

Ser autor da própria história é ser capaz de transformar o caos financeiro, o afetivo, incluindo a humilhação social, em oportunidade de se tornar um ser humano melhor, mais maduro e inteligente. Se alguém deseja, por exemplo, dirigir a própria história a tal ponto que anseia reacender as chamas do amor e conquistar a mulher que ama, tem de fazer escolhas notáveis: presentear muito, em especial com aquilo que o dinheiro não pode comprar – mais abraços, mais elogios, mais pedidos de desculpa e mais demonstrações de humanidade –, e oferecer menor rigidez, menor truculência e menor clausura.

Nosso Eu, quando fica engessado, rígido e não sabe fazer suas escolhas, sepulta o romance, a amizade, a relação entre pais e filhos, os sonhos e os projetos de vida. Que pessoas você enterrou no solo de seu excesso de trabalho? Que sonhos você enterrou pelo caminho?

Livros incríveis deixaram de ser escritos, quadros belíssimos deixaram de ser pintados, pesquisas revolucionárias não foram concluídas, planos sociais fascinantes foram interrompidos, relações maravilhosas foram desconstruídas; tudo porque faltaram autoconsciência, automapeamento, metas claras, foco, disciplina e capacidade do Eu de ser diretor do *script* da própria história. Um Eu tímido, fragmentado, distraído é incapaz de sobreviver ao caos, ainda que seja o caos da rotina. Quando não assume seu papel vital como autor da própria história, o Eu é abarcado por medo, ansiedade, timidez, preguiça mental, necessidade neurótica de ser o centro das atenções sociais.

E você, está equipado para ser autor de sua história? Está preparado para fazer escolhas e assumir perdas? Que sonhos você precisa desenterrar? Que pessoas você excluiu, pelo menos um pouco, e precisa resgatar? São raros aqueles que não excluíram ninguém, mas ainda mais raros são os que não abandonaram a si mesmos pelo excesso de trabalho e de preocupações. Deveríamos aprender a nos abraçar e dizer algo como: "Eu te dou trabalho, mas eu te amo!".

9

A mente de sociopatas e a péssima gestão da emoção: o exemplo de Adolf Hitler

Exemplos doentios de gestão da emoção

Profissionais liberais, executivos, educadores que têm a tendência a se acharem deuses intocáveis são portadores das necessidades neuróticas de evidência social e de controlar os outros; estão aptos a programar máquinas, mas não a formar seres humanos; estão habilitados a gerar servos, mas não a formar mentes brilhantes.

Grandes empresas devem ambicionar crescer mais, se reciclar e evoluir continuamente, desde que sua filosofia fundamental seja promover o trabalho, a dignidade e o bem-estar social. O lucro pelo lucro é insustentável; o lucro social é admirável.

Na era da competição predatória, da Síndrome do Pensamento Acelerado, dos avanços rápidos da tecnologia, do bombardeamento de informações, da necessidade constante de se reposicionar no mercado, é muito comum profissionais e estudantes universitários andarem em círculos, com enorme dificuldade para evoluir. Queda de produtividade, conflitos na comunicação, baixa motivação e esgotamento cerebral estão em alta. Antes de esse clima caótico ter se instalado, a gestão da emoção deveria ter entrado. Como muitos nunca aprenderam as TGEs, seria preciso otimizar o tempo para que se reconstruíssem.

Você conhece casais que brigam a vida toda e não se separam? Conhece pessoas rígidas que não se reciclam, que repetem sempre os mesmos erros? Conhece pessoas tímidas que sonham em falar em público, expressar suas ideias com segurança, porém vivem continuamente bloqueadas? Conhece pessoas que sabem que lidam mal com suas finanças, que reclamam que seus salários nunca chegam ao final do mês, mas continuam sendo consumistas irresponsáveis, sedentas pelo prazer imediato sem perceber que constroem suas próprias armadilhas?

Conhece pessoas inteligentes e altruístas que, no entanto, vendem pessimamente sua imagem, não conseguem encantar seus colegas e, principalmente, não conseguem encantar a quem mais amam? Conhece pessoas lúcidas, mas que são sequestradas pelos focos de tensão e reagem sem pensar nas consequências? Conhece pessoas que têm todos os motivos para ser alegres, para se curvar diante da vida e aplaudi-la, pois têm sucesso social, financeiro, acadêmico, porém são infelizes, ansiosas e deprimidas? Conhece pessoas que dirigem casas, empresas e instituições, mas não controlam minimamente sua irritabilidade?

Tais pessoas não são limitadas intelectualmente nem deficientes emocionalmente – a questão é que não desenvolveram os papéis vitais do Eu como gestor da mente, como gerente da emoção, como editor dos conflitos, como reconstrutor das mazelas. Tornaram-se espectadoras passivas do lixo que se acumula na matriz de sua memória. Não tiveram a oportunidade de conhecer as ferramentas de gestão da emoção, nem mesmo intuitivamente.

A seguir, veremos alguns desastres que um ser humano pode causar se não aprender a gerir minimamente sua emoção: é a história do pequeno Adolf.

O erro de análise de Churchill a respeito de Hitler

Para ser um líder exemplar, não basta ser eloquente, perspicaz, culto, influenciador de pessoas. É imprescindível ser maduro e inteligente, capaz de preservar e enaltecer a vida. Isso porque um grande líder também pode ser destrutivo.

Um ser humano que faz a diferença no palco social tem de liderar, em primeiro lugar, o mais rebelde e belo dos mundos, a emoção, algo que poucos ícones na história fizeram. Se convivêssemos com muitos dos políticos, celebridades e intelectuais cultuados pela história, ficaríamos profundamente decepcionados com os elevados índices de egoísmo, egocentrismo, individualismo, explosão ansiosa e com o baixo limiar para frustrações que possuíam. A maior parte apresentava uma gestão emocional deficiente.

Freud foi indubitavelmente uma mente brilhante, mas tinha dificuldade de lidar com contrariedades, em especial quando envolviam sua teoria. Ele simplesmente cortou relação com amigos que contrariaram suas ideias, como Carl Jung.

Winston Churchill, o notável primeiro-ministro inglês, disse que Hitler seria um dos maiores estadistas da Europa se não tivesse invadido a Polônia e iniciado a Segunda Grande Guerra Mundial. Um erro atroz de interpretação, contaminada pela emoção, cuja avaliação se fundamentava em comportamentos macro, não micro.

Se Churchill tivesse conhecido detalhes das reações de Adolf Hitler, teria tido mais cuidado. Por exemplo, em 1929, dez anos antes de iniciar Segunda Guerra, portanto, Hitler propôs, numa reunião do Partido Nazista, algo que revelava sua implosiva e destrutiva gestão da emoção: eliminar quase 1 milhão de crianças deficientes mentais alemãs para purificar a raça ariana. Alguém que queira eliminar seres humanos que merecem nossa mais distinta atenção não pode sequer ser chamado de líder. Um péssimo gestor da emoção, seja político, pai ou educador, aposta apenas naqueles que lhe dão retorno; já um grande gestor dá tudo o que tem para os que pouco têm. Você está no rol dos grandes líderes?

A emoção influencia e distorce a visão, a observação, a assimilação, a análise e a construção das ideias de um ser humano. Como estudaremos, o pensamento não incorpora a verdade do objeto pensado. Interpretar é contaminar a realidade, mas essa contaminação pode ser minimizada quando nos colocamos no lugar dos outros, pensamos antes de reagir, protegemos a emoção. Controlar e qualificar a emoção para interpretar de forma livre, independente e justa são desafios tremendos de todo *Homo sapiens*.

Como somos mal equipados e mal treinados para gerir o território da emoção, nossas interpretações são controladas por cárceres psíquicos construídos em nossa memória: o cárcere do ciúme, da inveja, da necessidade neurótica de ser o centro das atenções, das fobias, do sofrimento por antecipação, da ruminação de mágoas, do conformismo. Que cárceres você possui? Reconhecê-los é o primeiro passo para libertar-se; negá-los é o primeiro passo para eternizá-los.

Há profissionais que dirigem reuniões, contudo não sabem controlar minimamente sua ansiedade quando criticados ou desafiados. Há pessoas que andam sempre na moda, sorrindo, e passam a imagem de que são motivadas e alegres, mas, por dentro, estão chorando. Há outras que treinam em academia, cuidam do corpo, se preocupam seriamente com a alimentação, porém descuidam assustadoramente de sua dieta emocional, dilaceram a emoção ruminando mágoas, perdas e frustrações passadas. Há outras ainda que aparentemente são estrategistas, no entanto esgotam seu cérebro sofrendo por antecipação. Todas elas vivem em masmorras e não o sabem. Há muito mais seres humanos encarcerados do que livres no teatro social.

O problema é que muitos não apenas são encarcerados, mas também promotores do cárcere dos outros. A história humana está coroada de exemplos de reis, ditadores, imperadores, presidentes, primeiros-ministros, deputados, governadores que nunca foram dignos do poder de que foram investidos. Eram escravos fazendo escravos, eram doentes construindo doenças, eram pessoas mal resolvidas que deixavam um rastro de dor por onde passavam.

Tais líderes, nos primeiros períodos do exercício do poder, tomavam o cálice da humildade, mas depois essa humildade se dissipava no território da emoção à medida que se embriagavam de autoridade e desenvolviam o ardiloso projeto de manutenção do poder. Devemos gravar esta tese: drogas químicas podem causar dependência e confinamento de um ser humano, porém a droga do poder pode causar dependência e confinar não só quem dela se embriaga, como toda uma sociedade, empresa ou família. Ao estudar o exemplo de Adolf Hitler, talvez venhamos a concluir que características da sua personalidade estão vivas na mente de muitos líderes nos dias atuais.

Adolf Hitler: um dos piores gestores da própria emoção da história

Nos livros *O colecionador de lágrimas* e *Em busca do sentido da vida*, escrevi mais de 700 páginas, respaldado em ampla bibliografia, sobre o processo de formação da personalidade de Adolf Hitler, sua ascensão no Partido Nazista e as técnicas de marketing de massa que ele usou para devorar o inconsciente coletivo dos alemães e, em seguida, o de marxistas, judeus, eslavos. Escrever esses livros foi um trabalho extenuante, mas gratificante. Se você ler esses livros, talvez nunca mais verá os bastidores da Segunda Grande Guerra da mesma maneira.

Hitler era assustadoramente paradoxal: vegetariano, não gostava de matar animais, porém não se importava em sangrar seres humanos. Acariciava sua cadela Blondi e sua matilha de cachorrinhos com uma mão enquanto, com a outra, telefonava para ordenar a morte de crianças da nossa espécie. Discursava sobre a paz no palco social, mas nos bastidores considerava seus adversários inimigos a serem abatidos. Gostava de falar sobre seu passado humilde na Áustria, porém tinha ataques de cólera quando contrariado. Tinha apreço por bajuladores, mas era solitário, não dividia seus fantasmas com ninguém; por isso se considerava uma espécie de messias, investido de poder pela "providência".

Como eu disse ao brilhante e famoso físico judeu Gerald Schroeder, numa conferência que demos juntos, provavelmente não houve, na formação da personalidade do jovem Adolf, estímulos estressantes que justificassem o fato de ele ter se tornado o maior sociopata da história. Percebi que Schroeder, estudioso da Segunda Guerra, ficou chocado com minha abordagem. Em seguida, relatei a ele que o pai de Hitler tinha um emprego seguro, era funcionário de uma alfândega, tinha apreço pela natureza e gostava de colmeias; e Klara Hitler era uma mãe gentil, que o amava.

A minha tese é que um ser humano não precisa ser "devorado" na infância para se tornar um "devorador" na vida adulta; o *Homo sapiens* pode ser adestrado como um animal para cumprir essa função. Outra tese seriíssima que concluí é a de que há dois tipos de sociopata: o primeiro é forjado por perdas, privações e abusos na infância (sociopata clássico); e o segundo é mentalmente construído por ideologias radicais e exclusivistas (sociopata funcional), a exemplo de muitos terroristas atuais. O primeiro tipo de sociopata pode destruir algumas pessoas, mas raramente assume o poder devido à falta de competência intelectual, já que sua mente está muito destruída. O segundo pode destruir uma sociedade, pois, às vezes, tem habilidade para controlar milhões de pessoas com sua eloquência e capacidade de influenciar.

A superproteção produz pessoas frágeis. Hitler, embora não tenha sofrido grandes traumas na infância, foi superprotegido por sua mãe. A gestão emocional dele estava muito comprometida; Hitler não tinha filtro, era intimista, introvertido, depressivo e sentia-se diminuído socialmente, o que mais tarde se transfigurou em complexo de superioridade e discursos teatralizados.

Nos focos de tensão, isto é, sob certas circunstâncias, é mais fácil domar o cérebro humano que o de um animal irracional. A Alemanha daquele tempo passava pelo estresse do Tratado de Versalhes: fragmentação política, vácuo de liderança e inflação altíssima. Esse ambiente tensional produziu coletivamente a Síndrome do Circuito Fechado da Memória, diminuindo a consciência crítica da população, gerando um anseio por um salvador da pátria. Foi nesse clima socialmente psicótico que surgiu um orador brilhante e teatral, mas também inculto, histriônico e despreparado para dirigir até mesmo um *pub*.

Hitler seduziu a sociedade mais culta de seu tempo, a terra de Kant, Hegel, Schopenhauer. Ele propagandeou, em prosa e verso, o quanto a Alemanha fora humilhada e injustiçada pelos impostos pesados que pagava por conta da perda na Primeira Grande Guerra Mundial. Ele estressou o povo alemão alardeando as ameaças que o país sofria e, ao mesmo tempo, exaltou sobremaneira a cultura e a coragem de seu povo – técnicas típicas de ditadores, as quais serviram para aumentar seu índice de popularidade.

Debaixo desse clima tenso, Hitler aumentou o orçamento militar de forma irresponsável, aparelhando a Alemanha para a guerra. Era um especialista em lançar pedras fundamentais de obras sem que houvesse recursos para construí-las. Tinha hábitos noturnos, trocava o dia pela noite e não tinha rotina social. Só grandes eventos políticos o animavam. Sua gestão pública era insustentável, fundamentada em enormes gastos e discursos megalomaníacos. Seu governo provavelmente imploderia. Usou a guerra para, entre outras ambições, perpetuar-se como líder.

Se a Alemanha se curvou aos pés de um sociopata estrangeiro, teatral, tosco e sem biótipo ariano, que sociedade estará livre de se curvar a novos Hitlers num ambiente de aquecimento global, insegurança alimentar, escassez de energia e radicalismo religioso (como o que abaterá a Europa e outros continentes)? Se os alunos das escolas de ensino fundamental e médio, bem como universitários, não aprenderem as ferramentas mínimas de gestão da emoção que estamos estudando, como a sociedade desenvolverá consciência crítica para não se deixar seduzir por salvadores da pátria que alardeiam soluções mágicas e inumanas? Sem o sistemático aprendizado das TGEs no currículo escolar, novos Hitlers ascenderão com muita facilidade nesta era das redes sociais. Essa é outra de minhas inquietantes teses.

O poder, nas mãos de líderes mal resolvidos, fragilizados e complexados, embora possa ser revestido de heroísmo, torna-se uma bomba emocional. Todo político, antes de assumir um cargo, deveria passar por uma detalhada avaliação psiquiátrica, psicológica e sociológica. Dirigir uma empresa, uma instituição, uma cidade ou uma nação sem ter aprendido as ferramentas básicas para ser líder da própria mente pode gerar necessidades neuróticas graves: de se perpetuar no poder, de estar sempre certo, de controlar os outros e de estar sempre em evidência social. Sem gestão da emoção, o projeto pessoal torna-se mais importante do que o projeto de governo, o que transforma o líder num predador da sociedade, ainda que seus discursos estejam disfarçados de altruísmo.

É uma característica de personalidade doentia o desejo, manifestado por líderes ou executivos, de se eternizar no poder. As reações deles não levam em consideração o bem-estar da sociedade ou da empresa. Suas atitudes imediatistas desconsideram a sustentabilidade a longo prazo. Eles se tornam espoliadores de recursos e devoradores da saúde física e emocional de seus liderados. São predadores mais vorazes do que os mais vorazes felinos em tempo de escassez.

Assim, jamais desenvolvem a felicidade inteligente. Desconhecem que o poder e o excesso de exposição social asfixiam o prazer, a tranquilidade, o equilíbrio. Uma emoção estável e profunda exige doses generosas de altruísmo, autoconhecimento, anonimato. Por isso, quem se expõe muito e não percebe que a grandeza da vida se encontra nas coisas simples e anônimas perde o encanto por ela.

As celebridades têm grande desvantagem na conquista de uma felicidade inteligente, já que todos somos drogados desde pequenos pelo desejo de ser o centro das atenções sociais. Até a timidez é um sintoma dessa dependência.

Um menino com poder nas mãos

É um fato político extraordinário e, ao mesmo tempo, preocupante que um simples soldado que estava perdido nas fileiras do exército que lutou na Primeira Grande Guerra tenha se tornado o senhor da Alemanha, quinze anos depois. O primeiro grande episódio social que fez que Hitler se agigantasse no inconsciente coletivo da Alemanha foi o Levante de Munique, em 1925, em que um bando de jovens se revoltou contra o governo central. Foram abatidos. Muitos alemães típicos fugiram, mas Hitler, um estrangeiro, foi preso.

Em seu julgamento, posicionou-se como o alemão dos alemães, embora não tivesse olhos azuis nem fosse loiro. Disse que "sangraria" por uma Alemanha pautada pela justiça social. Suas declarações comoveram a todos – e foram um golpe fatal. A imprensa sempre deve ser livre, mas nem sempre é inteligente. Parte da imprensa alemã se curvou a Hitler e pode, em parte, ser responsabilizada pela ascensão dele, por tê-lo promovido a herói nacional. Foi na prisão que Hitler escreveu *Minha luta*, um livro contendo falácias sobre economia e política de Estado.

No teatro da política, o histórico e as atitudes de um líder deveriam ter um peso cem vezes maior do que suas palavras. Entretanto, devido aos baixos níveis de gestão da emoção no teatro social, asfixiamos a consciência crítica e perdemos a capacidade de filtrar, o que nos leva a nos embriagar com os discursos eleitoreiros tal como um alcoólatra com álcool. Depois das eleições, quando o cérebro cai na ressaca, surge o sentimento de culpa e arrependimento. Mais uma vez, afirmo: sem gestão da emoção, o ser humano é facilmente seduzido.

A Alemanha havia ganhado um terço dos prêmios Nobel na década de 1930 – foi essa sociedade tão culta que se embriagou com as palavras de um sociopata, sem filtrá-las. A elite política e empresarial subestimou Adolf Hitler, acreditando que seu histrionismo, teatralismo e inexperiência fariam que não sobrevivesse ao poder por muito tempo. Ledo engano.

Nos dias atuais, sociopatas embriagariam as massas? Estamos na era da democratização das informações. Maravilhoso. Estamos na era das redes sociais. Ótimo. Estamos na era da livre expressão das ideias. Excelente! Mas também estamos numa era em que as pessoas têm contato com muitos, porém raramente têm contato profundo com alguém. Estamos numa era em que pisamos na superfície não apenas do planeta físico, mas também do planeta psíquico. Estamos na era do autoabandono, em que poucos se interiorizam, filtram estímulos estressantes, elaboram suas experiências, domesticam seus fantasmas mentais e têm uma mente livre.

Nunca as emoções foram tão lábeis e instáveis. Num momento, um pai é paciente; noutro, tem reações explosivas. Num momento, um executivo é generoso ao explicar a filosofia da empresa; noutro, tem crise de ansiedade quando contrariado. Num instante, um professor expõe a matéria; noutro, tem reações explosivas por não conseguir controlar a classe. Os mestres, em todo o mundo, não entendem que, na atualidade, devido à Síndrome do Pensamento Acelerado, é impossível conseguir o silêncio total no microcosmo da sala de aula. Faz-se necessário canalizar essa energia para a produtividade.

As sociedades modernas tornaram-se emocionalmente bipolares. Uma pequena porcentagem de pessoas tem depressão bipolar, caracterizada pela alternância de períodos de depressão e euforia, mas muitos de nós temos personalidade bipolar, ou seja, saímos do céu da tranquilidade para o inferno do estresse com grande facilidade. O nível de tolerância às frustrações está baixíssimo nessa sociedade apressada, consumista, em que o cidadão parece ter se tornado apenas um número de identidade ou de cartão de crédito, o que dificulta o processo de gerenciamento da mente.

Gostaria de fazer um alerta aos professores e gestores educacionais dos países onde esse livro for publicado. Gerir a emoção é apostar o máximo possível nos alunos alienados, inquietos, com baixo rendimento, enfim, aparentemente desqualificados. Hitler, quando jovem, antes de ir para Munique, na Alemanha, tentou se inscrever na escola de Belas-Artes de Viena. Mas o professor-avaliador era rígido, inflexível, só investia nos alunos que encantavam seus olhos; podia entender de artes plásticas, mas desconhecia a plasticidade do mais incrível dos mundos, o da emoção – desconhecia as ferramentas básicas da gestão da emoção para ser um formador de pensadores.

O professor de Viena não sabia que estava em suas mãos a possibilidade de evitar a Segunda Grande Guerra. Bastava que desse uma oportunidade àquele garoto tímido e sem traços excepcionais. Entretanto, ele o rejeitou. Se o tivesse aceitado no rol de seus treinandos, talvez tivéssemos tido um artista plástico medíocre aos olhos dos críticos, porém provavelmente não teríamos tido um dos grandes psicopatas da história. Um único professor poderia ter poupado dezenas de milhões de vidas.

Na sociedade digital de hoje, educadores de todo o mundo têm perdido prestígio. Computadores, internet e técnicas de multimídia têm, mais do que os auxiliado, os substituído. Todavia, se considerarmos o mais excelente programa de treinamento e educação humana, a gestão da emoção, os professores são simplesmente insubstituíveis. Meu grito de alerta é que a educação mundial tem de mudar seu grande paradigma e passar da era da transmissão da informação para a era do Eu como gestor da mente humana. Caso contrário, teremos uma humanidade saturada de dados, que no entanto perpetuará suas mazelas históricas, como a violência, a discriminação, a injustiça social e as doenças emocionais.

Nesse novo modelo educacional que proponho, o poder dos professores não está apenas em ensinar as velhas funções cognitivas, como o raciocínio lógico ou o pensamento linear, mas também em treinar as funções não cognitivas, ou melhor, as funções socioemocionais notáveis, como pensar antes de reagir, colocar-se no lugar dos outros, proteger a emoção, ser resiliente, trabalhar perdas e frustrações, pensar como humanidade, e não só como grupo social. Como mestres da vida, os professores sempre foram, são e serão muito poderosos.

Se eu estiver certo, apesar de ser um pensador que vive num país que não valoriza a ciência básica, essas ideias serão as mais estudadas nas próximas décadas e séculos, por todas as nações. Mas temo que nossas loucuras não permitirão que a humanidade sobreviva até lá.

Alerta aos líderes: cinco segundos podem mudar uma história para o bem ou para o mal

O que você faz em meros cinco segundos? Talvez pense que muito pouco. Mas eu gostaria que gravasse esta tese psicossocial: em cinco segundos, não proferimos um belo discurso, apenas algumas palavras; não fazemos uma grande viagem, somente damos alguns passos; não desenvolvemos um grande projeto, só esboçamos uma intenção; contudo, sob o ângulo da gestão da emoção, nessa diminuta fração de tempo, podemos mudar uma história para o bem ou para o mal, podemos preservar ou destruir uma mente, enfim, podemos ter atitudes que provocam o fenômeno RAM a formar uma janela killer duplo P, ou seja, que tem o poder de encarcerar o Eu e o poder de retroalimentar o núcleo traumático.

Cinco segundos são tempo suficiente para um pai, num momento de ansiedade, dizer ao filho: "Você me envergonha"; para um professor, num ataque de raiva, dizer a um aluno: "Você não vai ser nada na vida"; para um parceiro, sob tensão, dizer à sua parceira: "Não sei como te suporto". São declarações rápidas, mas com grandes consequências emocionais. No instante em que são proferidas, janelas traumáticas inesquecíveis são construídas. Alguém poderia se defender dizendo não ter tido a intenção de ferir, porém a resposta do Programa de Gestão da Emoção para isso é uma só: o inferno emocional está cheio de pessoas bem-intencionadas.

Certa vez, após dar uma conferência num dos principais órgãos do Governo Federal, um líder respeitável dessa instituição disse-me que, quando criança, amava nadar, mas que seu então professor de natação, observando suas braçadas na piscina, dissera-lhe que era um desastre e o aconselhou a desistir. Essas breves palavras do professor geraram uma janela killer duplo P que fechou o circuito de sua memória e sequestrou seu Eu. Ele nunca mais competiu. Felizmente, outra professora o salvou. Após a apresentação de um trabalho diante da classe, ela lhe disse: "Você é inteligentíssimo! Que capacidade notável de expressar suas ideias!". E assim ele teve o incentivo necessário para se tornar um excelente jurista.

Portanto, cuidado! Em cinco segundos, você pode fazer coisas inimagináveis. Para o bem ou para o mal.

10

MegaTGE: Sustentabilidade das empresas – Crescendo com a crise

TGE 1 – Treine as habilidades em tempo de paz

Psicoterapia se faz somente em tempo de conflito; *coaching* se faz também em tempo de paz. Psicoterapia é indicada quando uma doença psíquica está instalada; *coaching* é indicado para prevenir doenças emocionais, financeiras, sociais.

A gestão da emoção nos leva a amar a tranquilidade, o prazer de viver e a saúde emocional de forma tão consistente e inteligente que nos encoraja a nos preparar para os tempos de conflito, para preveni-los ou minimizá-los. Essa é uma das mais importantes lições do exército romano e da perpetuação de seu império. Devemos nos preparar para enfrentar as dificuldades que ainda não surgiram, o rigoroso inverno que ainda não despontou, a crise que ainda não se instalou.

O sucesso é mais difícil de ser trabalhado do que o fracasso. O risco do sucesso é ser insustentável. Quando a empresa goza de prestígio e credibilidade, seus produtos são desejados pelos consumidores, seu Ebitda (lucros antes dos impostos, da amortização, dos juros) é invejado, suas ações se valorizam. E é justamente aí que mora o perigo: o passo seguinte ao pódio é a decadência. É nesse parêntese do tempo, em que estão comemorando o êxito, que os executivos abaixam a guarda e não abrem o leque de sua mente para pensar em mecanismos sustentáveis.

Bons líderes corrigem erros; líderes excelentes os previnem. Quando o Eu dos líderes repousa em berço esplêndido, perde sua capacidade de defesa e de se reinventar; não enxerga as pequenas bactérias que o estão infectando, as pequenas rachaduras que surgem em suas vigas de sustentação.

O grande erro de uma nação está em se deleitar quando seu PIB está crescendo. Sob esse estado de euforia, os políticos não pensam na próxima geração, gastam de forma irresponsável, não tomam medidas para perpetuar o sucesso, não pensam nos possíveis percalços que poderão surgir num mundo sociopolítico cíclico. Bons políticos pensam a sociedade enquanto estão no poder; políticos brilhantes pensam a sociedade para os próximos 50 ou 100 anos.

TGE 2 – Treine pensar em outras possibilidades

Para se antecipar às mais diversas crises e conflitos e preveni-los, não basta treinar habilidades em tempo de bonança; é necessário abrir ao máximo a mente para pensar em outras possibilidades, libertar o imaginário e oxigenar a criatividade. Para isso, faz-se necessário aquietar os julgamentos, recolher as armas, confrontar as verdades, romper paradigmas, abrandar as críticas, perceber o movimento das folhas antes que caiam da copa.

Quem quer pensar em outras possibilidades deve ter intimidade com o universo das indagações. Tem de bombardear seu cérebro com questionamentos corretos sobre as habilidades de um líder multifocal e eficiente:

1. Sou proativo ou conformista?
2. Liberto ou asfixio a imaginação de meus liderados?

3. Inspiro-os e lhes passo a missão da empresa ou os bloqueio?
4. Sou democrático ou tenho necessidade neurótica de poder?
5. Tenho sede de me atualizar ou sou autossuficiente?

Na sua percepção pessoal, se você falhar em uma dessas habilidades fundamentais de um líder (ser conformista ou asfixiador, por exemplo), pode comprometer e até sabotar sua carreira ou sua empresa.

Mas onde estão os líderes, executivos, gerentes ou membros do conselho de uma empresa que têm a coragem de se submeter a uma autoavaliação e à avaliação de seus liderados? Se fossem gestores de sua emoção, saberiam que não perderiam o respeito, mesmo quando mal avaliados, mas, ao contrário, consolidariam sua credibilidade. Se pais e professores fizessem essa avaliação, igualmente revolucionariam sua capacidade de pensar em outras possibilidades, de se antecipar a fatos e prevenir erros.

Em segundo lugar, é preciso questionar-se sobre as habilidades socioemocionais das empresas:

1. A empresa tem uma missão definida no teatro social? Para que ela existe? Qual seu projeto socioemocional? Ela existe apenas para obter lucro financeiro ou para promover a humanidade?
2. A empresa cuida do bem-estar de seus colaboradores, promovendo a felicidade inteligente e a saúde emocional deles?
3. Que riscos a empresa corre no presente, nos próximos dez anos e a longuíssimo prazo?
4. A empresa comunica claramente para seus colaboradores as suas necessidades vitais, entre elas a de ser rentável?
5. A empresa estimula seus colaboradores a otimizar processos?
6. Em que área a empresa é lenta e ineficiente?
7. Em que área é vencedora mas pode ser ainda mais eficiente?
8. A empresa incentiva os colaboradores a serem proativos, a debater ideias e correr riscos para torná-la mais produtiva?

9. A empresa se preocupa apenas com o salário dos seus colaboradores ou educa sua emoção para que eles se identifiquem com a sua missão?
10. A empresa encoraja seus colaboradores a contribuir para prevenir erros ou, no mínimo, corrigi-los?

Se a empresa falhar em pelo menos duas dessas habilidades, ela terá sérios riscos para ser sustentável a médio e longo prazos. É possível criar muitas enquetes e processos de avaliação a partir dessa Megatécnica de Gestão da Emoção, cujo objetivo central é construir um sistema de antecipação dos fatos e, consequentemente, de prevenção de falhas, ineficiência e falência. Essas habilidades são tão revolucionárias que podem transformar o caos em oportunidade criativa e nos fazer crescer diante das crises. Se todos os colaboradores participassem dessa avaliação e aprendessem a ter uma mente preventiva, desenvolver-se-ia uma inteligência coletiva. Na inteligência coletiva, não há colaboradores, e sim células humanas que participam do corpo da empresa. A inteligência coletiva só é possível se houver treinamento, cumplicidade, missão e gestão da emoção. Ela é mais importante para a sustentabilidade de uma empresa do que a inteligência fenomenal de alguns executivos.

Nossa mente tende a criar vícios de leitura na memória, levando-nos sempre a pensar da mesma maneira, interpretar os fatos a partir dos mesmos critérios e reagir aos eventos do mesmo modo. Antes mesmo que um pai comece seu sermão, o filho já sabe tudo o que virá pela frente. No começo de uma discussão, os parceiros muitas vezes já sabem do que o outro vai reclamar. E não poucos executivos, ao tomar a palavra, veem seus colaboradores bocejar, ainda que discretamente, pois já sabem de cor e salteado as ideias e o timbre de voz do chefe e as pressões que sofrerão.

Mentes engessadas são especialistas em asfixiar a emoção e abortar a capacidade de seus liderados em pensar em outras possibilidades.

Ser um profissional que instiga seu estafe a expressar sem medo suas ideias, ser um amante que abraça mais e condena menos, ser um pai que aposta em seus filhos mesmo quando tropeçam faz toda a diferença para formar líderes preventivos, proativos e criativos.

Não apenas mentes engessadas mas também mentes bipolares tolhem a capacidade de seu time de colaboradores. Alguns gerentes, embora não tenham uma depressão bipolar, têm comportamentos bipolares: ora são detalhistas, ora deixam passar um elefante; ora são simpáticos, ora são irritantes; ora são tolerantes, ora são implacáveis.

Ser um líder não anula a sensibilidade nem elimina a poesia; ao contrário, as irriga. Quem enxerga apenas com os olhos da face não vê a dor cálida de seus filhos, seu parceiro, seus amigos ou seus colaboradores. Julga comportamentos, atua nos sintomas, porém nunca nas causas.

Que tipo de líder você forma?

11

O pensamento e a consciência: a última fronteira da ciência

A mente humana: um mergulho no desconhecido

Escolas secundárias, universidades, empresas e instituições frequentemente engessam a mente humana sem perceber, não estimulam a leitura multifocal e multiangular da memória a fim de libertar o imaginário e produzir novas ideias. O currículo das faculdades de psicologia, direito, sociologia ou pedagogia, que transforma os alunos em espectadores passivos do conhecimento e não enfatiza a arte da dúvida, o debate, a ousadia, a proatividade e a compreensão básica do pensamento como instrumento da produção de conhecimento, pode se converter num cemitério de mentes criativas.

A criatividade nasce no terreno do estresse e da inquietação, ainda que estes sejam brandos. Ancorar a mente numa eterna mesmice asfixia a imaginação, amordaça a curiosidade, algema a capacidade de pensar em outras possibilidades, sepulta os mais belos projetos de vida.

Meu automapeamento

Ao longo de mais de três décadas, apesar de meus inumeráveis defeitos, respirei diversas ferramentas que estão na base da produção de novas ideias, fui apaixonado pelo desconhecido, enfrentei o caos patrocinado pela arte da dúvida, fui íntimo da arte das perguntas, procurei ser fiel à minha consciência, libertei o imaginário, calibrei o processo de observação, o levantamento de dados e a livre interpretação. Além disso, ousei pensar, explorar, mapear minhas crenças limitantes, tive contato estreito com minha pequenez e minha estupidez.

E, para coroar toda essa jornada, enfrentei os vales sórdidos das rejeições por pensar fora da curva. Lembro que, há muitos anos, logo que me formei na faculdade de medicina, procurei uma universidade pública para continuar minha produção de conhecimento. Diante de um professor doutor que me avaliava, eu disse: "Gostaria de pesquisar sobre o processo de construção de pensamentos, a formação da consciência existencial e a estruturação do Eu". Ele, assustado, me interrompeu e disse ironicamente: "Você quer fazer pesquisa ou ganhar o prêmio Nobel?".

Comecei a entender então o calvário pelo qual os construtores de uma teoria, como Freud, Jung, Vygotsky, Kant, Sartre, Hegel, passaram ao longo da história. Entendi por que eles produziram conhecimento fora dos muros de uma universidade e só depois a adentraram. Compreendi que era impossível produzir, numa tese de doutorado, uma nova teoria sobre a complexa fronteira da ciência a que eu me dedicava.

Uma teoria é multiangular, abrangente, fonte para muitas teses. Eu tinha cerca de 400 páginas escritas e dois caminhos: seguir o ritual acadêmico, que, nesse caso, reduziria muitíssimo meu foco de pesquisa, para produzir uma tese de doutorado; ou correr todos os riscos para produzir conhecimento num voo solo e depois retornar ao templo das universidades. Escolhi a segunda opção, mesmo sabendo que era altíssimo o risco de gastar anos ou décadas de minha história e não chegar a lugar algum. Todavia, quem vence sem riscos triunfa sem glórias.

Meu processo de produção de conhecimento iniciou-se no caos emocional: no começo do terceiro ano da faculdade, vivi o drama de uma crise depressiva. Descobri então que as lágrimas que nunca tivemos coragem de encenar no teatro do rosto são mais dolorosas do que as que serpenteiam pela face. Pensamentos perturbadores, desânimo, sofrimento por antecipação, medo do futuro, contração do sentido existencial povoaram meu psiquismo. Perdi a leveza da vida, e o humor triste tornou-se meu cardápio diário.

Desde cedo, entendi que a dor nos constrói ou nos destrói, nos liberta ou nos asfixia, nos encoraja ou nos inibe. Não é defensável que a dor equilibra e amadurece espontaneamente o ser humano à medida que ele se embriaga com os anos. Se não aprendemos a reciclar nossa emoção, a dor nos bloqueia e enclausura.

Mais tarde, confirmei minha suspeita ao avançar em minha produção de conhecimento sobre o funcionamento da mente. Descobri que, devido ao fato de o registro na memória ser rapidíssimo e prescindir da autorização do Eu, com frequência o sofrimento, as crises, as perdas, as dramáticas frustrações tendem a formar janelas killer duplo P que retroalimentam núcleos traumáticos, os quais nos encarceram no território da emoção.

Meu Eu fragmentado e frágil precisou tomar uma decisão, e decidi não me submeter ao cárcere da dor e utilizar o caos como a mais excelente oportunidade para pensar em outras possibilidades e me reconstruir. Foi minha primeira grande Técnica de Gestão da Emoção. O sofrimento, portanto, foi meu grande mestre, minha amarga e, ao mesmo tempo, doce ferramenta para penetrar em camadas mais profundas de uma pessoa tão conhecida superficialmente e tão desconhecida intimamente: eu mesmo.

A crise emocional levou-me intuitiva e paulatinamente a vivenciar todas as etapas da MegaTGE da promoção da saúde emocional e da superação de crises. Para sobreviver ao meu conflito e superá-lo, desenvolvi a autoconsciência, fiz muitas perguntas a fim de entender quem sou, o que são os pensamentos e as emoções, bem como a natureza deles e quais são os fenômenos que os constroem, por que não os gerencio, por que sou um escravo que vive em uma sociedade livre, por que dirijo carros mas não minha mente.

Perguntas e mais perguntas abriram as comportas das dúvidas. Foi um acontecimento ímpar saber quanto eu era um estranho para mim mesmo. O dia em que você se molhar nessa torrente de ideias, se é que já não o fez, entenderá que *status*, endereço e papéis sociais de modo algum nos identificam intimamente.

Sob os alicerces da arte da pergunta, a autoconsciência me levou a fazer um automapeamento de minhas mazelas, conduzindo-me à descoberta de vários de meus fantasmas mentais: humor deprimido, autopunição, conflitos, "loucuras", convicções fúteis. Esse autoconhecimento foi espetacular, um recomeço existencial. Perdi o medo de ser um ser humano imperfeito e de me colocar em estado contínuo de construção. Por isso, sempre que possível, exponho algumas entranhas de minha história em meus livros. E você, já perdeu o medo?

O automapeamento sistemático me conduziu a desenvolver algumas metas claras. Eu sabia onde estava, sabia que não tinha proteção emocional nem capacidade de gerenciar meus pensamentos e tinha ideia do lugar ao qual queria chegar, pelo menos em algumas áreas. Assim, no final do terceiro ano de faculdade, já com alguns cadernos escritos à mão, manifestou-se em mim o desejo de ir muito além do estudo dos órgãos. Sonhei não apenas em ser um profissional de saúde psíquica, mas também em produzir conhecimento sobre a mente humana. Já havia superado minha crise emocional, porém agora tinha outro conflito a ser vencido: produzir uma nova teoria sobre a construção de pensamentos num país que não valoriza a ciência básica.

Essa meta clara me induziu a ter foco e disciplina. Foco e disciplina para quê? Para continuar a perguntar, observar, escrever, criticar e reescrever continuamente minhas ideias – ferramentas que fizeram toda a diferença em minha produção de conhecimento. Escrevo e reescrevo pelo menos dez vezes cada texto; tento traduzir conhecimentos complexos em uma linguagem acessível, democrática, metafórica. Essas atitudes incentivaram meu Eu a deixar de ser frágil, inseguro, a fazer escolhas e assumir as perdas inerentes a elas, enfim, a abandonar o trivial para alcançar o essencial.

Delírio ou não, essa meta me controlou. Lembro-me de uma cena dessa época. Eu estava tomando um suco com minha namorada – que cursava o segundo ano da Faculdade de Medicina de São José do Rio Preto, enquanto eu cursava o quarto – e, ao pegar o dinheiro para pagar, um bilhete caiu de meu bolso; era uma das centenas de anotações resultantes de minhas observações de comportamentos meus e dos outros e continha o nascedouro da Teoria da Inteligência Multifocal, cujas bases você está estudando neste livro. Tentei advertir minha namorada: "Eu não sou muito normal. Se quiser namorar comigo, é bom saber que estou construindo conhecimento sobre o processo de formação da personalidade".

Ela olhou para mim e me achou estranho. Tenho certeza de que pensou que se tratava de uma febre que logo passaria. Namoramos, nos casamos, e essa febre nunca passou. Ao contrário, ao longo dos anos ela só aumentou, levando-me a escrever mais de 3 mil páginas, parte delas publicada em meus 40 livros, parte ainda inédita.

Um dado interessante: durante a faculdade, na década de 1980, eu parecia um louco, escrevia por horas a fio numa sala isolada do diretório acadêmico, saturada de caixas de remédios (amostras grátis) amontoadas pelo chão. Era um lugar tétrico para muitos, quase ninguém o frequentava. Mas, para mim, era o mais agradável lar, o local onde eu encontrava o mais importante endereço, um endereço que poucos encontram em sua vida: a solidão. Muitos têm pavor da solidão, porém não há criatividade sem que haja intimidade com ela.

A solidão criativa é uma das preciosas ferramentas para a gestação de ideias. Nunca houve tantas pessoas mentalmente estéreis como hoje, não porque são incapazes de construir conhecimento, mas porque são incapazes de ficar a sós, de mergulhar dentro de si e encontrar seus fantasmas mentais.

Meu temor é que a geração digital esteja vivenciando o bloqueio coletivo da interiorização saudável, embora haja exceções. As redes sociais dão a falsa impressão de promover a socialização – já que se entra em contato com muitos, porém raramente com profundidade com alguém e, pior ainda, consigo mesmo –, e o uso de *smartphones* vem contraindo a socialização concreta e promovendo a timidez. Timidez essa que induz a interiorização, mas nem sempre a interiorização saudável (a que nutre a inventividade, a proatividade e a ousadia), e sim aquela que nutre a insegurança, a fobia social, o medo de se expressar em público. Os *smartphones*, portanto, asfixiam a solidão criativa. Nunca uma ferramenta tão útil bloqueou tanto a mente humana, dificultando enormemente a solução de problemas e a superação de conflitos.

A unidade fundamental da mente do *Homo sapiens*

Viver intimamente a solidão criativa me levou a uma incrível descoberta: a unidade básica da mente ou da psique humana. De que tijolos são constituídos nossos julgamentos, observação, levantamento de dados, análise, interpretação, crítica, apoio, exclusão? Temos dificuldade de responder a essa questão porque não estudamos sistematicamente essa unidade essencial, que nos torna seres pensantes. Isso gerou um rombo nas ciências humanas, dificultando, por exemplo, a elaboração de ferramentas para prevenir transtornos psíquicos e violência social, para formar pensadores, para libertar o imaginário.

Antes de falar da unidade básica da psicologia, vou comentar rapidamente a unidade básica da biologia, a célula. Estudar a célula foi, e continua sendo, vital para que a humanidade desse um salto na produção de alimentos. Até o século XIX, a humanidade nunca passou de 800 milhões de habitantes. Por quê? Porque a fome fazia parte do cardápio das sociedades. Não havia técnicas superdesenvolvidas de plantio, combate de pragas, manejo das plantas, armazenagem de grãos. A escassez de alimentos era um fantasma no encalço dos povos.

Estudar a célula também propiciou notáveis conhecimentos que revolucionaram a medicina, a odontologia, a fisioterapia e permitiram a produção de vacinas e antibióticos. Pense que uma infecção bacteriana simples podia levar à morte.

Já o estudo da unidade básica da matéria, o átomo, causou uma revolução tecnológica. Dos celulares aos satélites, da produção do aço à construção civil, dos computadores à internet, tudo foi derivado do caldeirão do conhecimento extraído do diminuto átomo.

Retorno à minha pergunta: qual é a unidade essencial da psicologia, das ciências jurídicas, da sociologia, da pedagogia, enfim, das ciências humanas? Tenho feito esse questionamento para plateias de juízes, psicólogos e pedagogos e nunca encontro alguém que saiba responder.

A unidade básica da mente humana é o pensamento. Os pensamentos são os alicerces e os tijolos de todos os tipos de conhecimento: dos lúcidos aos estúpidos, das ideias inteligentes às perturbadoras, das ciências humanas às lógicas. Os pensamentos também são os trilhos das emoções. Pensa-se no futuro e sofre-se depois por antecipação. Rumina-se discriminação e experimentam-se angústias. Alegria e tristeza, euforia e humor depressivo, prazer e angústia, aplausos e vaias, autoestima e autopunição, amor e ódio, enfim, o universo das emoções depende dos trilhos dos pensamentos.

Assim, a gestão da emoção depende diretamente da gestão dos pensamentos. O Eu precisa dar um choque de lucidez nos pensamentos débeis, autopunitivos, radicais, pessimistas para libertar a emoção do cárcere. Mas em que empresa ou universidade se ensina o Eu a deixar de ser um mero espectador passivo e a confrontar, criticar e duvidar dos pensamentos que atuam em nossa mente?

Primeiro se pensa, depois se sente – a não ser quando ocorre uma alteração metabólica cerebral, patrocinada, por exemplo, por drogas psicotrópicas, como um ansiolítico ou cocaína. Nesse caso, a princípio a droga excita o território da emoção para, em fração de segundo, estimular a produção de pensamentos. Mas estes, uma vez construídos, continuam a exercitar seu papel vital de nutrir as emoções.

Pense num usuário de drogas que acabou de experimentar cocaína. Primeiro, sua emoção é estimulada, abrindo em seguida diversas janelas de sua memória, algumas killer, que financiam pensamentos paranoicos. Estes, por sua vez, excitam imediatamente a emoção, interferindo no comportamento do usuário e levando-o a se angustiar com ideias de perseguição, por exemplo.

Da mesma forma, o pensamento está na base das motivações. Ânimo e retração, desejo e asco, inspiração e bloqueio, ousadia e covardia, determinação e instabilidade dependem da qualidade dos pensamentos. Se você perceber alguém golpeado por covardia, falta de garra e desânimo, não condene sua motivação fragmentada; observe que o Eu dele tem sido estéril para qualificar seus pensamentos.

O pensamento é também o sustentáculo da consciência existencial. Se você pensa, a consciência vem à luz da existência; se deixa de pensar, a luz se apaga. Se você dorme, a luz intelectual é cortada, mas, se você sonha, ela volta a iluminar sua mente, ainda que com filmes de terror. Nada é tão misterioso como a consciência humana. Os computadores jamais existirão por si mesmos, ainda que simulem comportamentos humanos.

Você é único no mundo, um ator social inigualável, possuidor de uma personalidade complexa com características particulares, detentor de uma identidade exclusiva, porque tem consciência existencial. Quando você sofre, todo o Universo sofre – pelo menos sua consciência sente como se assim fosse, pois sua dor é a única que você consegue vivenciar. E, quando você sente a dor do outro, a dor é sua e nunca do outro. Quando você ama, todo o Universo está repleto de prazer. Ao menos para sua consciência, ainda que seja humilde e altruísta, você é o centro do Universo.

Há três décadas venho estudando sistematicamente o pensamento – não como impulsos nervosos, mas sua abstração –, seus tipos, seus processos construtivos, seu alcance, sua validade, sua natureza e sua práxis, enfim, seus fundamentos cognitivos. Estou convicto de que o pensamento representa a última e mais importante fronteira da ciência. Afirmo isso não porque é meu campo de estudo, mas porque, como vimos, é o alicerce de todos os tipos de conhecimento: da ciência, das religiões, da psicologia, da engenharia, das artes e das guerras. A seguir, vamos estudar sinteticamente os tipos de pensamento e suas implicações para a gestão da emoção e o desenvolvimento do raciocínio e do desempenho pessoal e profissional. Creio que você se surpreenderá.

12

Os três tipos de pensamento: as bases da gestão da emoção

A consciência sobrevive de fenômenos inconscientes

A próxima MegaTGE exigirá mente aberta e paciência do leitor. Compreender minimamente os fenômenos inconscientes nos fará enxergar por que o sistema educacional atual, embora composto por profissionais de altíssima importância, está doente, formando pessoas doentes, para uma sociedade doente. Também nos fará enxergar por que é tão fácil cair em armadilhas mentais e asfixiar nosso raciocínio.

Toda consciência nasce e é alicerçada por fenômenos inconscientes que ocorrem em pequeníssimas frações de segundos, quase na velocidade da luz, imperceptíveis ao nosso raciocínio. Portanto, não só de pensamentos conscientes sobrevive a consciência humana – que financia a compreensão de quem somos, onde estamos, o que fazemos, quais são nossos papéis sociais, como interpretamos os inumeráveis eventos diários –, mas também de fenômenos inconscientes, incrivelmente rápidos e tremendamente eficientes.

Você pode achar que até hoje nunca realizou algo grandioso na vida se, por exemplo, não construiu uma grande empresa nem produziu conhecimento científico inovador. Engana-se. Toda vez que produz um simples pensamento, seja ele lúcido ou não, você realiza fenômenos fascinantes, admiráveis e surpreendentes. Pensar é se rebelar contra o cárcere da mesmice, é construir tijolos que solidificam a consciência de que cada um de nós é único no teatro da existência.

Os tipos de pensamento que atuam no teatro mental: essencial, dialético e antidialético

Quantos tipos de pensamento há na mente humana? Essa é uma questão vital que precisa ser respondida para que as ciências avancem, para que a educação clássica mundial se torne um celeiro de pensadores, e não de repetidores de dados. Os grandes estudiosos da psicanálise, da teoria comportamental, cognitiva, existencialista não tiveram a oportunidade de estudar sistematicamente a unidade básica da psique humana, o próprio pensamento, sob o ângulo do funcionamento da mente, e enfocaram as neurociências, os estímulos neurológicos.

Durante mais de duas décadas de bombardeamento de perguntas, observação, interpretação, análise, autocrítica e ruptura de paradigmas, cheguei à conclusão de que há três tipos fundamentais de pensamentos: dois conscientes e um inconsciente. Há outros? Talvez, mas, dentro de minhas limitações como teórico do desenvolvimento da inteligência, cheguei a estes três tipos: o pensamento essencial, que é inconsciente; e os pensamentos dialético e antidialético, que são conscientes. Vamos nos ater aos pensamentos conscientes e verificar algumas seriíssimas implicações de seu uso.

Os professores ministram conhecimento em sala de aula sem questionar se há mais de um tipo de pensamento e, portanto, sem refletir se estão usando as melhores técnicas para libertar o imaginário e desenvolver o raciocínio complexo dos alunos. Eles simplesmente usam o pensamento capitaneado pelas palavras e pelos textos dos livros para desenvolver as funções cognitivas dos jovens, como o raciocínio, sem perceber que estão utilizando o mais restrito dos pensamentos, o pensamento lógico/linear, que chamo de dialético. Esses professores não tiveram a oportunidade de aprender que as complexas funções não cognitivas, como gerir a emoção, ter compaixão, colocar-se no lugar do outro e ser proativo, dependem muitíssimo de outro tipo de pensamento, o antidialético, que desrespeita a linearidade do pensamento lógico e, por isso, é mais rebelde, difícil de ser controlado.

Muitos pais corrigem seus filhos sem refletir sobre o instrumento de correção que usam. Não têm a mínima consciência de que atitudes como julgar, apontar falhas e elevar o tom de voz supervalorizam o mais pobre dos pensamentos, o dialético, que, por ser unifocal e lógico, considera excessivamente o comportamento exterior, e não os conflitos que motivam esse comportamento.

Tais pais desconhecem que, sob o enfoque da gestão da emoção, deveriam usar também o pensamento antidialético para pensar antes de reagir e olhar seus filhos com generosidade. Desse modo, estariam aptos a ver o que está por detrás da cortina dos erros dos filhos. Pais que são excessivamente lógicos, cartesianos, enfim, dialéticos, são também intolerantes e, ao corrigir os efeitos, em vez de estacar as causas de determinados comportamentos, bloqueiam a formação de mentes livres, resilientes e maduras. Diferentes tipos de pensamentos lapidam de forma diferente o mármore e geram diferentes obras de arte.

No campo profissional, executivos estabelecem metas, motivam, treinam e pressionam seus liderados sem pensar o próprio pensamento, ou seja, sem refletir sobre o tipo de pensamento que tem maior envergadura, alcance, criatividade, ousadia. Por serem marcadamente lógicos e supervalorizarem os números, muitos executivos são algozes de seus colaboradores e asfixiadores das melhores habilidades destes, em vez de libertadores de seu potencial criativo. Por não saberem usar o pensamento antidialético para levá-los a ousar e se reinventar, estão aptos a lidar com produtos, mas não com os seres humanos que os produzem.

Há psiquiatras e psicólogos clínicos que interpretam os comportamentos de seus pacientes e intervêm nos transtornos psíquicos destes usando à exaustão o pensamento lógico/dialético, sem entender as armadilhas que ele encerra. Alguns enquadram seus pacientes em sua teoria e diagnóstico, quando, na realidade, deveriam colocar a teoria e o seu diagnóstico dentro do paciente, individualizando a complexidade dele. Se vivessem o Programa de Gestão da Emoção, esses especialistas teriam mais subsídios para libertar o pensamento antidialético, colocar-se no lugar dos pacientes, enxergar o invisível e equipar o Eu deles para que cada um fosse, dentro do possível, autor da própria história, reeditor de conflitos, gerente da mente.

O *Homo sapiens* e seus pensamentos

O pensamento dialético e o antidialético são as duas formas fundamentais de pensamento consciente. Eles dão sustentabilidade a toda consciência existencial, inclusive nos sonhos, quando o Eu deixa de ter a leitura multifocal da memória e perde grande parte dos parâmetros da realidade.

Cada tipo de pensamento, dialético e antidialético, tem múltiplas subformas de se expressar. Eles representam a matéria-prima primordial de todo processo cognitivo, das mais variadas classes de raciocínio, das simples às complexas, das dedutivas às indutivas, das lógicas às abstratas. Os pensamentos dialéticos e antidialéticos são ainda os tijolos do conhecimento que produzimos sobre nós mesmos (autoconhecimento), sobre o mundo social (conhecimento interpessoal) e sobre o universo físico.

O pensamento dialético é lógico, unifocal, unidirecional e bem formatado, produzido a partir dos símbolos da língua (ou da linguagem de sinais, no caso de pessoas com deficiência auditiva). Parece o mais notável de todos os pensamentos conscientes, mas, na realidade, é o mais engessado deles, mesmo que seja utilizado na escrita, nos diálogos e nos debates. Em geral, surge quando o bebê é expulso para o útero social e começa a ter contato sensorial com milhões de estímulos externos, através do comportamento de pais ou responsáveis, professores, irmãos, colegas de escola. Todo esse *pool* de estímulos é arquivado pelo fenômeno RAM, preenchendo as inumeráveis janelas ou arquivos do córtex cerebral.

Nutrindo-se dessas janelas, o pensamento dialético torna-se pouco a pouco fonte da expressividade lógica do Eu, capaz de desenvolver o raciocínio coeso, a comunicação interpessoal, o processamento das palavras, o processo de interpretação. Torna-se enfim a base da linguagem, da escrita, das teses, dos discursos, do diálogo.

Sem a psicolinguística do pensamento dialético, que é exteriormente empacotada por sinais (linguagem de libras) ou pelos pronomes associados a verbos, substantivos, adjetivos (linguagem fonética), não teríamos uma identidade sólida, não conseguiríamos saber quem somos, o que queremos, onde estamos e aonde desejamos chegar. Não teríamos uma relação tempo-espaço e uma individualidade no teatro social, muito menos uma comunicabilidade interpessoal e intrapsíquica eficiente.

Apesar de criticar o uso excessivo do pensamento dialético por pais, professores, executivos e profissionais de saúde mental, não podemos menosprezar a importância desse tipo de pensamento. Por mais unifocal, linear e unidirecional que seja, sem ele a consciência existencial seria metaforicamente uma usina de "energia elétrica" sem fios condutores. De fato, sem o pensamento dialético, o Eu não saberia se expressar, construir pontes consigo e com o mundo – não saberia julgar, analisar, deduzir, concluir, apoiar, nem teria sentimentos como ciúme, raiva, generosidade.

Todavia, reitero, a ênfase no pensamento dialético pode levar a uma racionalidade estritamente lógica e inumana, que patrocina, por exemplo, o radicalismo, o preconceito e a exclusão de minorias. É bom não esperar muito de pessoas excessivamente dialéticas, que desprezam o pensamento antidialético – cedo ou tarde, elas vão surpreendê-lo negativamente, decepcioná-lo, feri-lo ou cortá-lo da relação.

O pensamento antidialético, por sua vez, é multiangular, multifocal, multidirecional. Ele constitui a base de todo imaginário, sendo capaz de vivenciar a emocionalidade humana com mais profundidade. Diferentemente do pensamento dialético, o antidialético não precisa de símbolos ou linguagem de sinais para se desenvolver. Ele é intrínseco à mente humana, é a essência da imaginação, portanto, já está poderosamente presente na aurora da vida fetal, a partir da ação do fenômeno RAM, preenchendo as primeiras janelas da memória com os malabarismos, a sucção de dedo, enfim, as experiências do bebê em formação. Todavia, só quando o pensamento dialético na vida extrauterina ganha musculatura e o Eu se forma, o pensamento antidialético sai da esfera do subconsciente e ganha *status* consciente. Milhares de imagens transitam por dia na mente de todo ser humano, de um psiquiatra a um paciente, de um intelectual a um iletrado, revelando que ela é uma usina de pensamentos antidialéticos, onde nós antecipamos o futuro, ruminamos o passado ou resgatamos as pessoas em nossa imaginação. E essa usina, se for libertada e enriquecida, é que vai dar relevância ao pensamento dialético: aos debates, à escrita, ao diálogo com os outros e consigo mesmo. Tudo isso é muito difícil de compreender, mas nós somos extremamente complexos; por isso, jamais se despreze ou se diminua diante de qualquer ser humano, seja ele um rei ou o presidente de uma nação.

Ao longo do desenvolvimento da personalidade do indivíduo, o pensamento antidialético deveria ser incentivado, encorpado e enriquecido pela arte da pergunta, da dúvida, pela transferência do capital das vivências dos pais a seus filhos e também por programas que enfatizam fortemente as funções "não cognitivas". A empatia, a generosidade, a tolerância, a resiliência, a autoestima, o gerenciamento da ansiedade e a proatividade dependem dos alicerces do pensamento antidialético.

Mudança de era na educação

Em minha opinião, a educação mundial precisa de uma cirurgia em seu currículo. Precisa passar da era das funções estritamente cognitivas para a era das funções não cognitivas; da era da ênfase no pensamento lógico/dialético para a da ênfase no pensamento antidialético/imaginário; da era da exteriorização para a da solidão criativa; da era da memória como depósito de dados para a era da eficiência na organização de dados.

Einstein tinha menos informações do que grande parte dos físicos e dos engenheiros da atualidade, mas foi uma das mentes mais brilhantes da história. Por quê? Não "culpe" a quantidade de neurônios nem o tamanho do armazém da memória dele. Culpe, no bom sentido, o pensamento antidialético que ele desenvolveu intuitiva e fortemente, mesmo sem perceber.

Precisamos de um novo limiar para a humanidade: a era da gestão da emoção.

O pensamento dialético precisa do pensamento antidialético para ter profundidade; caso contrário, se torna superficial, parcial, frio. Para o pensamento dialético, uma pessoa que morre é um número; para o pensamento antidialético, é um ser humano único que fechou os olhos. Para o pensamento dialético, o consumidor faz parte de uma estatística; para o pensamento antidialético, é um mundo a ser descoberto, com necessidades individuais.

Por sua vez, o pensamento antidialético também precisa do pensamento dialético para ser fonte de inventividade produtiva e útil; caso contrário, provoca o desenvolvimento de uma imaginação autodestrutiva.

Não basta ter um riquíssimo e criativo imaginário se não houver lucidez e coerência. Ninguém é tão criativo quanto um paciente em surto psicótico, de cujo cenário mental antidialético fazem parte perseguições incríveis, crenças mirabolantes, imagens aterradoras, personagens implacáveis. Sem pensamento dialético, o imaginário humano é uma locomotiva sem trilho. As funções cognitivas e não cognitivas devem caminhar lado a lado.

O pensamento essencial: o alicerce dos pensamentos conscientes

Há outro tipo fundamental de pensamento, o essencial, que também está presente nos primórdios da vida fetal. Ele é inconsciente e está na base da formação do pensamento antidialético e, posteriormente, do dialético. Na realidade, o pensamento essencial é o primeiro resultado da leitura da memória. Quando o gatilho da memória dispara diante de uma flor, por exemplo, e abre uma janela no córtex cerebral, os primeiros pensamentos produzidos em milésimos de segundo não são conscientes – não são dialéticos ou antidialéticos, portanto –, mas essenciais, inconscientes; frações de segundo depois, quando o Eu lê o pensamento essencial, produz o espetáculo dos pensamentos conscientes: interpretações, entendimento, definição, conceituação. É nesse momento que o significador, o Eu, distingue o significante, a flor, e a diferencia de milhões de outros objetos.

O sujeito que dá significado ao mundo, o Eu, através da construção de pensamentos conscientes precisa ler o pensamento inconsciente numa rapidez inacreditável para operar essa construção. Como ele o faz? Nem em milhões de anos saberemos. Por quê? Porque todo pensamento sobre esses fenômenos do pré-pensamento ou da pré-consciência é elaborado e não fragmentos.

Como o mundo dos pensamentos é um assunto que geralmente suscita dúvidas, inclusive entre os alunos de pós-graduação *stricto sensu* aos quais dou aula, usarei uma metáfora que pode ser reveladora para explicar as formas de pensamento. Imagine um quadro com imagens de árvores, lago, casa e montanhas. O que representa nesse quadro o pensamento essencial, o dialético e o antidialético?

O pensamento dialético é a descrição objetiva do quadro: a quantidade e a forma das árvores, as dimensões e cores dos lagos, o estilo arquitetônico da casa, a anatomia das montanhas. Todo discurso, tese, análise e síntese sobre o quadro entra na classe dos pensamentos lógicos/lineares/dialéticos.

O pensamento antidialético é representado pelo corpo das imagens que contemplamos sem a necessidade de descrição; portanto, é muito mais amplo e mais difícil de ser controlado do que o dialético. Ele expressa a arquitetura multiangular e multifocal que encanta os olhos, revela suas nuances, descortina o pano de fundo de milhões de detalhes unidos. Lembre-se de que tanto o pensamento dialético quanto o antidialético são as duas formas de pensamento consciente e, portanto, virtual.

E o pensamento essencial, inconsciente, como está representado no quadro? É o pigmento da tinta, todos os átomos e moléculas que foram pincelados e impregnaram a tela. Ele é a única coisa real, concreta, no quadro. Não existem de fato árvores e lagos, mas pigmentos sobre a tela da "memória". Assim, a conclusão é que a consciência depende do inconsciente (pigmento) e os pensamentos dialéticos e antidialéticos dependem da "pista de decolagem" do pensamento essencial para existir e levantar voo no psiquismo.

Todos os ditadores são lineares

Aplausos, reconhecimento e notoriedade podem, inconscientemente, levar o Eu a procurar zonas de segurança para preservar o sucesso, o que, por sua vez, pode engessar a flexibilidade e a inventividade do pensamento antidialético e contrair o raciocínio complexo, multifocal, enfim, o processo cognitivo. O sucesso e as glórias podem tornar estéril nossa mente. Se não nos policiamos, eles asfixiam o imaginário. Isso é, na realidade, uma peça central no processo de formação de pensadores e poderia ser objeto de muitos livros e teses de doutorado. Também explica por que cientistas são muito produtivos enquanto são imaturos, rebeldes, destituídos de reconhecimento acadêmico e se tornam menos produtivos, estéreis até, quando recebem louros e aplausos. Claro que há exceções.

A zona de segurança pode sequestrar o Eu em áreas restritas de leitura, em destaque da Memória de Uso Contínuo (MUC), consciente, fomentando o uso excessivo do pensamento dialético/previsível, que é traduzido pelo raciocínio lógico/linear. Esse tipo de pensamento, por ser muito mais sofisticado, transgride a mesmice: precisa ler múltiplas áreas da memória ao mesmo tempo, tanto da MUC quanto da Memória Existencial (ME), inconsciente, para ser encorpado.

Nos primeiros anos de vida, as crianças perguntam muito. Perguntar é fruto de um pensamento dialético ou antidialético? Dialético, porém sustentado pelo pensamento antidialético. Quanto mais um ser humano libertar seu imaginário, mas íntimo será da arte da indagação. E, quanto mais perguntar, questionar, romper paradigmas, mais expandirá a imaginação, gerando um ciclo vital de criatividade.

Quando as crianças começam a frequentar a escola tradicional, pouco a pouco diminuem a frequência das perguntas, porque a escola, muitas vezes, as vicia no pensamento dialético, lógico, linear, afetando o processo cognitivo, ou, em outras palavras, os amplos aspectos do raciocínio complexo, como a capacidade de se colocar no lugar dos outros, a interpretação multifocal de textos, a indução, a abstração e a imaginação. É claro que estou generalizando e há exceções louváveis, mas, na maior parte dos casos, no ensino fundamental, somente alguns alunos ainda se arriscam a fazer questionamentos; no ensino médio, a maioria constitui uma plateia muda; nas universidades, são raros os que debatem ideias. A educação dialética/unifocal/lógica do Eu causa estragos irreparáveis na evolução da espécie humana.

Todos os ditadores experimentaram limitações cognitivas importantes após ascenderem ao poder. Construíram um raciocínio simplista, parcial, tendencioso, egocêntrico. Tiveram uma racionalidade abaixo da média, mas uma voracidade pelo poder muitíssimo acima da média. Foram hábeis em usar armas, mas não em gerir a emoção. Foram mais hábeis ainda em construir fantasmas emocionais no inconsciente coletivo com discursos paranoicos. Normalmente, é o assombro e a passividade do povo que alimentam os ditadores, em destaque no início do processo ditatorial, quando estes são mais frágeis.

Calígula parecia humilde até assumir o trono de Tibério, seu tio, logo depois que Pilatos crucificou o maior educador da história. Prometeu ao grande césar que protegeria Tibério Neto. Todavia, atolado na lama do pensamento lógico/dialético, uma das primeiras coisas que ele fez ao se tornar imperador romano foi eliminá-lo.

Stalin, em nome do comunismo, assassinou dezenas de milhões de pessoas. Era um homem intelectualmente raso e superficial, que de noite matava seus supostos inimigos e de manhã tomava café com suas esposas. Serviu a seu próprio ego e ideias, porém não a seu povo. Como todo ditador com limitações cognitivas, era paranoico, sentia-se perseguido pelos monstros que ele mesmo criava no teatro de sua mente. A necessidade neurótica de poder encarcerou o desenvolvimento saudável de seu pensamento antidialético. Stalin não conseguia se colocar no lugar dos outros e pensar antes de reagir; reagia como um animal impensante.

Adolf Hitler, como vimos, foi o exemplar mais solene da péssima gestão da emoção. De acordo com as leis da Alemanha, após setenta anos da morte de um autor, sua obra cai em domínio público. Hoje, vencido o tempo de *Minha luta*, muitos estão preocupados com a divulgação do livro. Hitler era um jovem de 35 anos quando o publicou, mas sua idade emocional não passava da de um adolescente que não sabe ser contrariado. Era também especialista em reagir pelo fenômeno dialético da ação-reação.

Sua obra não é um compêndio geopolítico e econômico, mas um texto sectário e saturado de inverdades. Nela, afirma, por exemplo, que os mutilados da Primeira Guerra Mundial foram abandonados pelo governo da Alemanha – no entanto, o incoerente Hitler, que fora um simples cabo nessa guerra, depois de se tornar chanceler, mostrou sua garra e mandou matar milhares de veteranos de guerra que tinham limitações físicas e mentais.

O austríaco sem biótipo ariano deixou o mundo perplexo com suas guerras-relâmpago. Usava o raciocínio simples/unifocal/linear para rapidamente sufocar suas presas. Sua mente insana usava dados falsos para deduzir conclusões egocêntricas. Ele disse certa vez: "Nenhuma personalidade militar ou civil poderia me substituir". Postulava ser um deus – postulação decorrente de uma limitação cognitiva dantesca que o fazia negar que era um simples mortal em direção ao silêncio de um túmulo. Defender ideias com segurança é saudável, mas se embriagar com doses generosas de autopromoção é doentio. Diante de seus asseclas, Hitler proclamava: "Estou seguro da força do meu cérebro e da minha capacidade de decisão".

Hitler, portanto, não desenvolvia o pensamento antidialético profundo, o que o levava a ser mentalmente superficial. E toda pessoa superficial tende, em alguma medida, a ter baixíssimo nível de tolerância a frustrações. Mostrando ferocidade, ele também disse: "As guerras nunca devem terminar a não ser pela capacidade de total aniquilamento do adversário...". Hitler era um analfabeto emocional, desconhecia a linguagem da compaixão, generosidade, altruísmo, serenidade.

A contração e a contaminação do pensamento antidialético causaram e causam danos irreparáveis à humanidade. Infelizmente, a educação mundial optou pela visão cartesiana, lógica, linear, destituída de altruísmo e afetividade, que, como comentei, considera as pessoas meras estatísticas, e não pérolas vivas no palco da existência. Sem o pensamento antidialético, não há gestão da emoção; sem gestão da emoção, nossa espécie ainda chorará lágrimas incontidas.

13

MegaTGE: Formar líderes – Mentes empreendedoras e inovadoras

TGE 1 – A arte de observar o invisível e ouvir o inaudível

A capacidade de ser mentalmente empreendedor e criativo se inicia com o processo de observação acurado, detalhado e intenso. Entretanto, o processo de observação, para ser efetivo, não pode ser unifocal; deve, sim, ser multifocal, multiangular; depende, portanto, de um olhar aberto, dirigido a múltiplos focos, lados ou ângulos. Depende também de um processo de captura de dados e interpretação isento de tendências, que enxergue além da imagem e escute além dos limites dos sons. Um líder empreendedor e inovador, seja empresarial ou educacional, observa muito e fala pouco; usa mais os olhos do que a língua; não tem a necessidade neurótica de ser o centro das atenções.

Por treinar a arte de observar por múltiplos ângulos, um líder empreendedor aguça sua percepção para detectar a desatualização da empresa, as crises financeiras e os conflitos sociais antes que os sintomas apareçam. Torna-se, assim, um inovador, um especialista em mergulhar dentro de si, em refletir sobre os dados que capta e em libertar a imaginação.

Muitos líderes não inovadores, por outro lado, só enxergam que fracassaram quando sua empresa está à beira da falência ou quando se dão conta, tarde demais, de que se tornaram profissionais jurássicos, ultrapassados. Seu Eu vive aprisionado na masmorra dos sucessos passados. São lentos para perceber o mundo em mutação, enxergar a necessidade de inovar, ser proativos, superar o cárcere da rotina.

A gestão da emoção previne acidentes ao treinar líderes para que ouçam o inaudível e enxerguem o invisível. Quem só enxerga os sintomas visíveis é um operador, não um estrategista. Como administrador, depende da sorte, da economia, das políticas governamentais, pois não se reinventa nem cria as próprias oportunidades.

TGE 2 – Buscar a sabedoria mais do que a inteligência – Os inteligentes aprendem com seus erros, os sábios aprendem com os erros dos outros

A gestão da emoção convida os líderes não inovadores a serem mais sábios do que inteligentes, mais empreendedores do que recitadores de respostas prontas. O inteligente tem consciência do quanto sabe; o sábio tem consciência do quanto não sabe. E, por ter consciência de suas limitações, este sempre se recicla, explora e tem uma sede insaciável de melhorar, crescer e conhecer. Empresas sustentáveis precisam muito mais de líderes sábios do que de líderes inteligentes, muito mais de flexibilidade e ousadia do que de um banco de dados notável. Afinal, qualquer computador básico é um banco de dados melhor do que o melhor dos profissionais.

O líder inteligente aprende com seus erros; o líder sábio aprende com os erros dos outros. O líder inteligente não tem uma boa gestão emocional, precisa quebrar a cara para aprender lições de vida, destruir suas finanças para perceber quão difícil é se divorciar da matemática financeira, falir seu relacionamento para entender as diferenças entre o essencial e o trivial. Já o líder sábio, por ser um excelente observador e ter notável capacidade de aprender, assimila as crises dos outros, os conflitos de seus amigos, a trajetória turbulenta dos grandes homens da história, a derrocada das empresas que foram à bancarrota e as ferramentas dos empreendedores que se reinventaram e das empresas que se tornaram sustentáveis; o líder sábio economiza energia, tempo e etapas ao incorporar as experiências dos outros – e não tem vergonha de ser flexível, aberto a sugestões.

Sob o ângulo da gestão da emoção, as diferenças entre um líder inteligente e um líder sábio são gritantes. Um líder inteligente se informa muito, enquanto um líder sábio observa muito. Um líder inteligente reage pelo fenômeno bateu-levou; um líder sábio reage pelo fenômeno bateu-pensou. Um líder inteligente ama a arte de responder; um líder sábio ama primeiramente a arte de perguntar e elabora respostas profundas. Um líder inteligente gosta de falar e ser o centro das atenções; um líder sábio gosta de ouvir e só aparecer quando necessário. Um líder inteligente impõe suas ideias, controla seus liderados, gosta de se autopromover, enquanto um líder sábio expõe suas ideias, instiga seus liderados, gosta de promovê-los.

Um líder inteligente – que transfere apenas informações, gráficos e metas – tem mais chances de formar servos, ao passo que um líder sábio – empreendedor e inovador, portanto – transfere muito mais do que dados: transmite o capital de suas experiências, é capaz de falar de suas derrotas para que seus colaboradores entendam que ninguém é digno do sucesso se não as utilizar para alcançá-lo. Assim, o líder sábio tem muito mais chances de formar pensadores que o substituam.

Você é um líder sábio ou inteligente? Em que área você precisa comprar o tesouro da sabedoria? Os cursos de pós-graduação, MBA, mestrado e doutorado deveriam formar mais líderes sábios do que inteligentes. Mas o que a maioria deles forma?

TGE 3 – A dor nos constrói ou nos destrói: a solidão criativa

Nenhum tipo de dor, seja física ou emocional, é agradável. Por isso poderíamos pensar, ingenuamente, que, sem a dor, seja ela qual for, o ser humano seria mais feliz. Entretanto, essa observação é falsa. Embora devamos prevenir sofrimentos, perdas e frustrações, as experiências angustiantes podem ser altamente necessárias e enriquecedoras para o desenvolvimento do pensamento antidialético e, consequentemente, para a formação de líderes sábios portadores de habilidades socioemocionais notáveis, como pensar antes de reagir, ousadia, flexibilidade, otimismo e crença no próprio potencial.

Não há ousadia sem superação de vexames, não há garra sem superação de críticas, não há capacidade de começar tudo de novo sem apostar em si, não há autonomia sem trabalhar falhas, fracassos, lágrimas e crises emocionais. Eu vivi todos esses fenômenos em minha história, tanto como ser humano quanto como produtor de conhecimento sobre o complexo universo da mente humana. Tive de empreender a mais importante jornada da minha vida quando o mundo desabava sobre mim.

É preciso ter consciência de que o medo da dor expande a própria dor; o medo das crises promove um espetáculo de terror; o medo do fracasso paralisa o Eu como gestor da emoção; o medo do caos amordaça a capacidade de se reinventar.

Assim como a Lua regula as marés, a dor, se bem trabalhada, regula a emoção. Tal como o Sol promove a vida na Terra, a dor, se bem utilizada, irradia luz aos porões de nossa mente e nos faz mais autocentrados, humildes, generosos com os outros e conosco. Assim como os anticorpos diariamente combatem milhares de vírus e bactérias que tentam invadir nosso organismo e causar infecções, as crises e os conflitos podem proteger nossa emoção diante das intempéries da vida.

Sofrer por sofrer é uma estupidez, e todo empreendedor deve saber disso. Por outro lado, sofrer e gerenciar esse sofrimento, não sendo controlado por ele, não colocando combustível no humor triste nem se autopunindo ou punindo os outros, é ser um líder primaz, possuidor de uma mente livre e criativa. Usar a dor para se autoconstruir é não se autodestruir, é ser, acima de tudo, um engenheiro da emoção, um ser humano verdadeiramente autônomo, um poeta da vida que aprendeu a escrever seus mais belos poemas quando seu mundo desmorona. Em que períodos você escreve seus mais incríveis poemas?

Sempre é importante lembrar que, por mais cuidadosos que sejamos, sucessos e fracassos, risos e lágrimas se alternam em nossa história. Saber disso e nos preparar para proteger a emoção nos capacitam a alongar as primaveras e a minimizar os invernos emocionais. Você alarga ou minimiza suas primaveras emocionais?

Muitos pais que sofreram ao longo da vida não querem que seus filhos passem pelo que eles vivenciaram e, por isso, os superprotegem. Enchendo os filhos de presentes e evitando todo tipo de frustração, esses pais cometem um crime educacional. Não sabem que seus filhos precisam passar por certos desapontamentos para elaborar experiências e formar, consequentemente, plataformas de janelas light, que alicerçam funções notáveis como tolerância, paciência, resiliência e prazer sustentável.

Mais uma vez, afirmo: dar presentes em excesso vicia o córtex cerebral, causando efeito similar ao das drogas. Com o passar do tempo, a cada presente, o jovem fecha o circuito da memória, acostuma-se com o prazer, não mais se excita, tornando-se um mendigo emocional que precisará de muitos estímulos para sentir migalhas de prazer. Assim como um usuário de drogas precisa aumentar cada vez mais a dose para sentir os mesmos efeitos iniciais, o pai que superestimula os filhos com produtos, e não com o diálogo, a troca, a contemplação do belo, o contato com a natureza e as artes, precisa aumentar cada vez mais a oferta de presentes para que eles se estimulem minimamente.

Há pais que não colocam limites em seus filhos e até discutem com os professores destes quando fazem isso. É um erro crasso. Sem aprender a lidar com limites, não há gestão emocional. Esses jovens, quando se tornarem adultos, serão pequenos ditadores, cujas vontades terão de ser atendidas prontamente. Quando tais pais perceberem seu erro na formação dos filhos, já terão perdido o controle sobre eles. Crianças e adolescentes têm de passar por frustrações, têm de ouvir "não", têm de saber lidar com a dor, enfim, têm de elaborar suas experiências para amadurecer, ou serão eternas crianças. Somente assim seu Eu arquivará plataformas de janelas light que financiarão as mais nobres funções da inteligência socioemocional. Somente assim usarão o pensamento antidialético para expandir a inventividade e capacidade de superação.

Cedo ou tarde, diante de perdas ou frustrações, traições ou calúnias, crises emocionais ou dificuldades profissionais, viveremos a solidão social, teremos de nos interiorizar, encontrar um endereço dentro de nós mesmos. Entretanto, muitas pessoas não sabem o que fazer quando se sentem sós. Perturbam-se, ficam agitadas e incomodadas pois não sabem se autoanalisar, não sabem conversar consigo. Seu Eu é "exteriorizante", voltado para fora, não dialoga com seus fantasmas e se vê incapaz de reconstruir trajetórias.

Quem aprender a usar as Técnicas de Gestão da Emoção verá que a solidão deixará de ser destruidora e se tornará um canteiro para a criatividade. A solidão criativa é fundamental para se ter uma mente brilhante, profícua, produtiva, saudável. Quem tem medo da solidão tem medo de si mesmo.

TGE 4 – Ninguém é digno do pódio se não utilizar os fracassos para alcançá-lo

A gestão da emoção recomenda valorizar o processo mais do que o ponto de chegada; exaltar o treinamento mais do que o resultado. Quem ambiciona o sucesso mas despreza a disciplina não é digno do pódio. Quem ama os aplausos mas desvaloriza as vaias não é digno de brilhar no palco. Quem ama o conforto dos palácios mas desvaloriza o prazer de carregar pedras para construí-los não é digno do conforto que eles oferecem.

Os sonhos não determinam o lugar aonde você chegará, mas patrocinam a força necessária para tirá-lo do lugar onde está. Muitas pessoas já entram em disputas esportivas ou profissionais em desvantagem competitiva, pois não sabem que toda competição se ganha primeiro na arena da mente, no território da emoção, e só depois no esportivo, corporativo ou social. Valorizar o processo é vital para tal conquista, já que relaxa o Eu, alivia tensões, canaliza a energia para suportar perdas, superar dificuldades, reciclar as derrotas da jornada. No entanto, vivemos numa sociedade viciada no resultado, drogada pelo sucesso, entorpecida pelos aplausos, que não prepara seus filhos para os invernos da vida.

As flores surgem na primavera ou no inverno? É na escassez hídrica, na agressão do frio e nas rajadas implacáveis dos ventos cortantes característicos do inverno que as plantas secretam as flores que desabrocham na primavera. As flores contêm as sementes que refletem o desejo irrefreável de perpetuar a vida. Quem tem medo do frio, seja ele representado por angústia, perda, fracasso, vaia, vexame, traição, não é digno das mais belas flores.

Todo vencedor já beijou a lona do fracasso. Crises, insucessos, falências não são sentenças finais de um líder inovador, mas etapas na conquista de seus melhores alvos, nas quais forma janelas light que o levam a proclamar dia e noite que os melhores dias estão por vir. Vaias, vexames, decepções não são calabouços dos líderes inovadores, mas nutrientes que encorajam a se reinventar e consolidar a autoestima. O capital das experiências não tem preço e deve ser hipervalorizado, inclusive na formação de mentes brilhantes. Mas em que sociedade ele é valorizado? Em que universidade é exaltado? Em que escola é encenado? Vivemos na era do culto a celebridades, uma desinteligência sem precedente, na era da minimização da grandeza dos anônimos, dos verdadeiros heróis, aqueles que nunca estiveram sob os holofotes.

Sob o ângulo da gestão da emoção, nada é jogado fora – nem nossas loucuras, nem nossa sanidade; nem nosso júbilo, nem nosso humor depressivo. Quando choramos lágrimas inconsoláveis, nosso Eu deve ser capaz de transformar cada gota não num ponto-final, mas numa vírgula, para que escrevamos os melhores textos de nossa história...

TGE 5 – A arte de perguntar e a superação da ditadura da resposta

Um dos treinamentos mais lúcidos do Eu para formar uma mente livre e criativa não é defender uma tese de doutorado ou escrever artigos científicos, mas ter estreita afinidade com a arte de questionar e ter plena convicção de que cada resposta é o começo de novas perguntas. Nada provoca tanto a curiosidade e a capacidade de observar quanto a arte de perguntar.

A arte da pergunta é o genoma das mentes empreendedoras e inovadoras, é o combustível para libertar o imaginário, para fomentar o mais nobre e aberto dos pensamentos, o antidialético. Quem não se enamorar do estresse das indagações não libertará a criatividade, não gestará novos conhecimentos. Um cientista ou um pensador não morre quando seu coração para de pulsar, mas sim quando sua mente para de perguntar.

A gestão da emoção recomenda que os executivos sejam rápidos em questionar mas pacientes em analisar e responder. Líderes tensos resolvem problemas, mas não previnem crises; apagam fogo, mas não evitam incêndios; aliviam sintomas, mas não debelam as causas.

Sob o enfoque da gestão da emoção, não é possível ser um grande líder social na atualidade sem sofrer o calor da ansiedade, sem sofrer algumas queimaduras. Até porque há um tipo de ansiedade vital e, portanto, saudável que anima, motiva, inspira o ser humano a ser eficiente, a superar desafios, a materializar os sonhos.

Um grande empreendedor deve gerenciar a ansiedade para que ela não seja patológica (Síndrome do Pensamento Acelerado), não produza sintomas psicossomáticos, como fadiga ao acordar, dores de cabeça, hipertensão, nem sintomas psíquicos, como irritabilidade, intolerância, sofrimento por antecipação, déficit de memória. Todavia, para gerenciar a ansiedade, é necessário desacelerar o pensamento, não sofrer antecipadamente, não se submeter à ditadura da resposta, não "comprar" atritos provocados por outros, contemplar o belo, relaxar, proteger a emoção.

Lembre-se de que o maior legado de um líder sábio é não deixar falir a mais complexa das empresas, a única que, se falir, fará o mundo desmoronar: a mente humana. O líder sábio deve, acima de tudo, educar seu Eu para viver um romance com sua saúde psíquica.

TGE 6 – O pensamento estratégico

A MegaTGE que estamos discutindo, vital para formar líderes portadores de uma mente livre e criativa, depende do trabalho das Técnicas de Gestão da Emoção anteriores para preparar terreno para o desenvolvimento do pensamento estratégico.

Sem estratégia, não é possível ser um empreendedor que impacta o ambiente social, afetivo e corporativo. Tampouco é possível desenvolver estratégias notáveis e sustentáveis sendo excessivamente cartesiano, lógico, linear, enfim, supervalorizando o pensamento dialético.

O pensamento estratégico depende essencialmente do exercício do pensamento antidialético, da libertação do imaginário, da capacidade de enxergar os eventos por múltiplos ângulos. Quem é unifocal corre sério risco de ser um mero manual de regras, um operador de máquinas e processos, não um estrategista; seu pensamento será superficial, com grande possibilidade de julgar mais e compreender menos, criticar mais e encorajar menos, excluir mais e abraçar menos. As pessoas que enxergam o mundo apenas por um único ângulo frequentemente são egocêntricas, comprometem a própria saúde emocional e a de quem amam; além disso, têm déficit cognitivo, ainda que sejam cultas, e não elaboram um raciocínio complexo.

Para ser um estrategista nas relações interpessoais é fundamental não só abrir mão do pensamento dialético/cartesiano, que supostamente traz soluções mágicas e rápidas, como também deixar de viver entrincheirado, atritar, pressionar, aprender a se interiorizar, reconhecer erros, pedir desculpas, ter comportamentos surpreendentes e reações impactantes, demonstrar mudanças de rota sustentáveis.

Para ser um líder no ambiente corporativo, que se tornou tão fluido e diversificado, não basta ser um estrategista unidirecional; é necessário ser um estrategista multifocal. Uma única estratégia pode ser insuficiente num mundo em constante mudança.

É claro que para o êxito corporativo é importante lançar mão da jurássica, clássica estratégia: ter produtos altamente desejados, instigar o consumidor, ter um nicho interessante, traçar planos de marketing e comerciais para ocupar um espaço, fabricar os produtos por meio de processos competitivos, sobressair à concorrência e tirar o máximo de proveito do sucesso. No entanto, essa estratégia clássica pode não construir um sucesso sustentável num mundo agitado como o de hoje, onde tudo muda e se copia rapidamente, onde o paladar do consumidor sofre intensa variabilidade pela multiplicidade de ofertas. Os produtos, as empresas e seus executivos e colaboradores envelhecem precocemente.

Mas quem envelhece primeiro, os profissionais ou os produtos? Os profissionais envelhecem antes de seus produtos. Algumas empresas estão em sua infância, porém seus colaboradores não se anteciparam aos fatos, e por isso seus produtos deixam de ser desejáveis. O maior desafio de uma empresa não é ter produtos notáveis, mas colaboradores com mente notável, capazes de manter a empresa sempre jovem, ágil, sonhadora, inovadora.

Para tanto, é necessário ter estratégias multifocais de inovação, construção de novas oportunidades, melhoria de processos. Como? Através da intimidade com a arte da dúvida, bombardeando-se de perguntas e questionamentos sobre quem somos, nossos papéis sociais, nossas atitudes como líderes, nossos níveis de agilidade, nossa capacidade de nos reciclar, a qualidade de nossos produtos, a competência dos processos etc.

Esta TGE pode libertar-nos de quatro cárceres psíquicos:

1. o cárcere do sucesso;
2. o cárcere da rotina;
3. o cárcere dos paradigmas intocáveis;
4. o cárcere da ditadura da resposta pronta.

Ninguém está livre desses cárceres. Quem não for capaz de se questionar continuamente terá limitações cognitivas, não expandirá seu raciocínio, sobretudo nos focos de tensão.

Se vivenciadas continuamente, as Técnicas de Gestão da Emoção que rompem os cárceres mentais produzem mentes empreendedoras e inovadoras em uma sequência de sete eventos notáveis:

1. Nutrem o olhar multiangular para enxergar além dos fenômenos visíveis.
2. Abrem as janelas da memória para expandir a oferta de informações.
3. Expandem o pensamento antidialético, libertando, assim, a imaginação e a intuição.
4. Promovem a solidão criativa do Eu. Nessa solidão íntima, onde o Eu se recolhe, ele se movimenta de forma mais ágil, ousada, experimentando ares nunca antes respirados.
5. Fomentam a construção de novas ideias em todas as áreas, da ciência ao mundo corporativo.
6. Geram o espetáculo contínuo da inovação. A inovação não é resultado de um esforço intelectual, mas de um processo. E, quando se pensa que a inovação é o término da jornada, se houver plena eficiência no bombardeamento de perguntas e

questionamentos para romper os quatro cárceres mentais, produz-se o último fenômeno.
7. Aplicam o autoteste de estresses em sua empresa. Gestores que esperam que outras empresas os estressem através da concorrência são lentos para se movimentar, não se antecipam a fatos e tendências, não previnem erros, apenas os corrigem. Nada é tão perigoso quanto esperar ser infectado para só depois tratar a doença.

Como já abordei, antes de uma empresa falir, seus executivos já asfixiaram a própria capacidade de pensar. Antes de uma corporação perder competitividade, seus líderes já se tornaram ultrapassados, perderam agilidade, flexibilidade, ousadia. O mundo capitalista é tão psicótico e mutante atualmente que as teses aprendidas em um MBA já se tornaram senis antes de sua conclusão. Muitos líderes estão ocupados demais comemorando os resultados e esquecem que o maior desafio deles não é mais superar a concorrência, mas desatar as armadilhas da mente que os colocam como espectadores passivos num teatro social em constante mudança.

O sucesso é mais difícil de ser trabalhado do que o fracasso. O risco do sucesso é ficar preso no próprio cárcere do sucesso, na masmorra da rotina, das verdades inquestionáveis, da ditadura da resposta rápida. O sucesso sustentável depende do capital humano, de mentes empreendedoras e inovadoras; depende, portanto, da libertação do imaginário.

14

O funcionamento da mente e as bases da gestão emocional: a memória

O Eu e o fenômeno RAM: os limites para a gestão da emoção

Somos condenados a ser livres, tal como defendia o existencialista Jean-Paul Sartre? Sartre foi um brilhante pensador do comportamento humano, mas não teve oportunidade de estudar a gestão da emoção, o processo de construção de pensamentos e seu sofisticado registro. Se tivesse estudado, ficaria perplexo com as armadilhas mentais. Você tem liberdade de ir e vir, de decidir ser sequestrado pelo tédio ou explorar o novo, de ter uma religião ou ser ateu, de constituir uma família ou apreciar a solidão, de se expressar ou se omitir, de postular-se como um deus acabado ou colocar-se como um eterno aprendiz... Parecemos tão livres, mas somos de fato?

Diante do cardápio da liberdade, temos muitas opções, mas precisamos saber que, na base do funcionamento da mente, jamais seremos plenamente livres. Só há liberdade dentro de certos limites. Por exemplo, você não tem liberdade de querer ou não que uma história seja arquivada em seu córtex cerebral, e muito menos de deletá-la ou apagá-la.

Quem estudar os bastidores da construção de pensamentos à luz da Teoria da Inteligência Multifocal, entenderá clara e convictamente que o Eu, que representa a consciência crítica e a capacidade de escolha, não consegue impedir o registro dos pensamentos e emoções nem apagar o lixo psíquico que já foi arquivado. Os processos de arquivamento no cérebro são inconscientes e involuntários. E só podem ser deletados através de injúria física, como um acidente vascular cerebral, trauma craniano, tumor cerebral, degeneração do córtex.

Ao analisar meus pacientes, em milhares de sessões de psicoterapia e consultas psiquiátricas, bem como ao avaliar o movimento dos construtores de minha própria mente, convenci-me de que o registro dos pensamentos, sejam lúcidos ou estúpidos, e das emoções, sejam prazerosas ou dolorosas, não depende da vontade consciente do Eu. É, portanto, um processo automático e involuntário, realizado por um fenômeno inconsciente, que, como já vimos, chamei de RAM. Somente esse fenômeno é capaz de mudar quase tudo o que pensamos sobre nossa espécie.

Se você não gosta de alguém, esse alguém provavelmente irá "dormir" com você. É alta a chance de ele ser registrado em sua memória como uma janela traumática poderosa, killer duplo P. As relações sociais são tão complexas que frequentemente produzem injúrias, calúnias, traições, decepções. E a maneira mais eficiente de trazer um desafeto para a nossa convivência diária é querer anulá-lo em nossa história.

Cada vez que pensar nele, você estimulará uma nova ação do fenômeno RAM, que o registrará de novo, formando um conjunto de janelas killer, um núcleo traumático de habitação do Eu. Nós adoecemos não apenas pelo trauma original, como Freud imaginava, mas, e principalmente, pela retroalimentação do trauma. Você não tem o poder de evitar o registro das experiências traumáticas – portanto, não está condenado a ser livre como Sartre pensava nem a ser autônomo como Paulo Freire sonhava –, porém tem o poder de decidir nutri-las ou não.

Você não tem o poder de evitar alguns "inimigos", contudo tem o poder de encorpá-los ou emagrecê-los, torná-los monstros ou simples seres humanos que o feriram porque são pessoas feridas. Um algoz ou carrasco pode machucar um ser humano por meio de abusos, abandono, privações, ofensas públicas, humilhação, mas a construção de um núcleo de habitação do Eu só ocorre se o Eu for passivo em vez de atuar como gestor da emoção. Uma das mais importantes ferramentas da gestão da emoção é saber que o trauma primordial, a primeira janela killer, depende do algoz, entretanto as demais dependem da omissão ou permissão do Eu.

Como a educação clássica não treina o Eu para ser gestor da mente humana, centenas de milhões de pessoas adoecem psiquicamente. Suicídios são cometidos, assassinatos são promovidos, mágoas são cultivadas, guerras são deflagradas diante de um Eu omisso, que não sabe se proteger, que é um péssimo consumidor emocional. Trilhões de dólares são gastos em consequência de acidentes de trabalho, baixa produtividade, conflitos socioprofissionais, absenteísmo, tratamentos médicos – tudo por conta da deficiência na gestão emocional do Eu. E isso sem contar o débito mais importante: o sofrimento humano, das crianças aos adultos.

Não reclame da ação do fenômeno RAM

Você pode achar péssima a falta de liberdade de ter ou não uma história. Mas, sem a colcha de retalhos dessa história arquivada no córtex cerebral, você não teria consciência existencial, não saberia quem é, não teria uma personalidade ou uma identidade. Seria um zumbi, incapaz de fazer escolhas conscientes.

Todos os dias, o fenômeno RAM imprime na memória milhares de imagens mentais, pensamentos, emoções e informações. São milhões de estímulos anuais. A única possibilidade de impedir a ação desse fenômeno é desviar o foco do sistema sensorial, tapar os ouvidos, fechar os olhos ou sair de cena. No entanto, não dá para fugir da realidade social. Não é possível mudar de planeta nem viver completamente isolado. Os eremitas podem escapar do teatro social, mas não do teatro psíquico; podem fugir de desafetos sociais, mas não dos inimigos construídos em sua mente.

Imagine que você tivesse a liberdade de deletar os arquivos registrados em sua memória. Quem você deletaria? Talvez deletasse uma pessoa que o traiu, alguém que o ofendeu, um ser humano que o caluniou. Aparentemente, isso seria ótimo. Você poderia aproveitar o ensejo e apagar seus medos, manias, impulsividades, conflitos.

Mas pense um pouco. Se você tem um(a) parceiro(a), por mais que seja apaixonado(a) por ele(a), cedo ou tarde sofrerá uma decepção e, nesse momento, ficará tentado a deletá-lo(a). Se seu Eu fosse eficiente, em frações de segundo, esse(a) parceiro(a) deixaria de existir para você. Tornar-se-ia um completo desconhecido após o assassinato existencial. Você dormiria ao lado dele ou dela e, ao acordar, levaria um susto, pois não o(a) reconheceria.

Quantos jovens, depois de uma briga com o(a) namorado(a), não teriam vontade de virar a página, de deletar tudo, como fazem com arquivos de computador? Você percebe a responsabilidade seriíssima se o Eu pudesse decidir apagar ou não os arquivos? Você gostaria de ter a liberdade de, num piscar de olhos, apagar milhões de dados que tecem os outros em você? Creio que nem Sartre gostaria de ter tal liberdade.

Pense em seus filhos. Filhos são uma poesia na vida dos pais: encantam, inspiram, fazem borbulhar a emoção; contudo, em alguns momentos, dão imensas dores de cabeça. Além disso, não reconhecem que muitas vezes os pais deixam de dormir para que eles durmam bem, que adiam os próprios sonhos para que eles sonhem, e não se curvam em agradecimento. Talvez, nesses lampejos, alguns pais, se tivessem a liberdade plena de deletar a memória, apagassem seus filhos de sua história. Nesse caso, não os matariam fisicamente, mas assassinariam os milhões de experiências construídas na relação, experiências essas que tornam os filhos diferentes de todas as demais crianças e jovens do mundo.

Você poderia dizer: "Eu jamais faria isso! Jamais deletaria meus filhos, em circunstância alguma". Todavia, se você conhecesse intimamente os solos do inconsciente, em especial a mais penetrante de todas as síndromes, a Síndrome do Circuito Fechado da Memória, entenderia que não há heróis. Em alguns momentos, mesmo as pessoas mais lúcidas abortam sua coerência, mesmo as pessoas mais calmas são golpeadas pela ansiedade, mesmo as pessoas mais dosadas têm reações estúpidas e impensadas. Quando descobri essa síndrome, meus olhos se abriram e passei a entender por que, apesar de saber que somos meros mortais, manchamos a história da humanidade com guerras, suicídios, homicídios, violência, orgulho, exclusão social.

Quando entramos numa janela killer, o volume de tensão é tão grande que bloqueia milhares de outras janelas ou arquivos, impedindo o Eu de ter acesso a milhões de dados para construir cadeias de pensamentos dialéticas lúcidas e antidialéticas profundas. Nesse instante, o *Homo sapiens* deixa de ser pensante e se torna *Homo bios*, instintivo, um animal. A Teoria da Inteligência Multifocal revela que, sob o ângulo da gestão da emoção, não há seres humanos perfeitos e plenamente equilibrados, a não ser que estejam em coma.

Se tivéssemos essa capacidade de deletar os arquivos registrados na memória, o risco de apagar a história de quem nos é caro seria enorme, principalmente porque os íntimos são os que mais podem nos frustrar e ferir. Agora, e quanto a nós mesmos, preservaríamos nossa identidade se tivéssemos tamanha liberdade? É provável que, num momento de frustração ou decepção, nosso Eu cometesse suicídio existencial. Não silenciaria nosso coração, mas poderia silenciar nossa história.

Felizmente, para destruir a memória, as pessoas precisam primeiro passar pelo constrangimento de ferir o corpo. Anualmente, dezenas de milhões de pessoas pensam em morrer e não têm o ferramental para apagar seus arquivos existenciais. Se elas soubessem que, no fundo, não querem se matar, mas que, ao contrário, têm fome e sede de viver, que o que querem destruir não é o corpo nem a memória, e sim a dor, o autoabandono e o humor depressivo, adquiririam ferramentas poderosas para gerenciar a emoção e transformar a tempestade lúgubre no mais belo amanhecer. Elas entenderiam que o tempo da escravidão já terminou.

O tempo da escravidão terminou para você ou você se escraviza e escraviza suas emoções?

Nova era na humanidade para a prevenção da discriminação

Abraham Lincoln teve a coragem de propor mudanças na 5ª emenda da Constituição norte-americana para libertar os escravos. Entretanto, sob a ótica da gestão da emoção, não se supera a discriminação apenas através da lei; são necessárias doses elevadas de educação, principalmente a que irriga as funções socioemocionais mais importantes, que tenho chamado aqui de "não cognitivas", e fomenta a felicidade inteligente e a qualidade de vida. Vamos recordar algumas delas: pensar antes de reagir, colocar-se no lugar do outro, expor, e não impor ideias, pensar como humanidade, ser altruísta, contemplar o belo, proteger a emoção, e tantas outras

A discriminação continuou, apesar de ter sido banida pela lei. Se eu tivesse vivido nos tempos desse magno presidente norte-americano e sido um de seus assessores, teria lhe mostrado a teoria das janelas da memória e o sequestro do Eu de boa parte dos norte-americanos daquele tempo pelas janelas traumáticas que continham a discriminação. Diria a ele que é impossível deletar traumas psicossociais com a lei.

Defenderia ainda que a Constituição de um país, por mais justa que seja, não reedita o inconsciente coletivo, as sequelas da memória social. Comentaria a urgência de uma ampla e irrestrita educação que contemplasse a gestão da emoção, alicerçada não no pensamento dialético/cartesiano, mas no antidialético/empático, capaz de financiar o altruísmo. Equiparia e treinaria os professores para que ensinassem em todas as escolas, do ensino fundamental à universidade, e em todas as instituições, incluindo as religiosas, o processo básico de construção de pensamentos.

Desse modo, a discriminação provavelmente teria sido debelada ainda no século XIX. Toda uma nova geração entenderia que a diferença entre negros e brancos se encontra na fina camada da cor da pele, nos níveis de melanina, pois, na essência intelectual, somos todos iguais, já que os pensamentos dialéticos e antidialéticos entram em milésimos de segundo na memória de qualquer ser humano e a constroem de forma espetacular.

Como esse processo educacional não foi realizado, a discriminação não foi erradicada. Cem anos depois de Abraham Lincoln, Martin Luther King estava lutando pelos direitos civis dos negros: o direito de estudar, votar, trabalhar, frequentar lugares públicos, existir com dignidade.

Quem conhece a sociedade norte-americana nota, indubitavelmente, como ela é admirável. Muitos cidadãos são justos, generosos, receptivos, altruístas, cosmopolitas, mas até hoje a discriminação não foi resolvida no território da emoção de milhares deles. A discriminação é um pensamento dialético linear/simplista; já a inclusão é um pensamento antidialético/multifocal/complexo que depende de notáveis doses de educação. A discriminação existe e continuará existindo no mundo todo e de todas as formas até que as sociedades modernas resolvam estudar sistematicamente o processo de construção de pensamentos, se deslumbrem com os fenômenos que nos tecem como *Homo sapiens* e extraiam dessa última fronteira da ciência as técnicas fundamentais da gestão da emoção. Entre elas, como já comentei, está a capacidade de pensar como humanidade.

No entanto, a educação clássica daquele tempo, assim como a de hoje, é excessivamente cognitiva e lógica e pobremente não cognitiva e afetiva. Mesmo os países cujos alunos estão no topo do desempenho de matemática e interpretação de texto em programas internacionais de avaliação falham em não pulverizar a formação dos jovens com as técnicas da gestão da emoção. A educação clássica está doente, formando pessoas doentes para um sistema doente. Nossa espécie sempre estará no limiar da inviabilidade se não ensinarmos à geração mais nova os fenômenos incríveis que produzem os pensamentos e equipam o Eu para ser líder de si mesmo.

Todos os levantes e protestos que os seres humanos de cor negra fizerem na América do Norte, na América Latina, na Europa e em outros lugares, ainda que legítimos e importantes, não vão resolver as mazelas existentes no inconsciente coletivo. Por quê? Porque, como vimos, não se apaga a memória, só é possível reeditá-la ou construir janelas paralelas saudáveis. Só a educação socioemocional, que constrói núcleos de habitação ou plataformas de janelas light, pode ser uma ferramenta sustentável.

Na essência, não há negros ou brancos, palestinos ou judeus, psiquiatras ou "psicóticos", reis ou súditos, celebridades ou anônimos, heterossexuais ou homossexuais. Nossas diferenças culturais, religiosas, acadêmicas, sexuais, raciais estão na ponta do *iceberg* da inteligência, pois na imensa base somos a mesma coisa. Sob o ângulo da gestão da emoção e da construção de pensamentos, estou propondo, com muita humildade, uma nova ferramenta de prevenção das mais diversas formas de discriminação.

Sonhos, pesadelos, expectativas, frustrações, desejos, desânimo, humor triste, prazer, pensamentos lúcidos, ideias débeis, enfim, todos os fenômenos psíquicos são construídos de um modo espetacularmente admirável dentro de cada um, denunciando que somos essencialmente seres humanos. Discriminar é uma atitude desinteligente e inumana. Enfatizar a essência humana é vital para pensar como humanidade e apaziguar os fantasmas mentais.

A homofobia é desinteligente e inumana. E não apenas os heterossexuais erram muitíssimo ao discriminarem homossexuais, mas também os homossexuais, por não conhecerem os fenômenos que constroem pensamentos e por exaltarem a diferença, e não a grandiosa semelhança: somos todos seres humanos. Pertencemos à mesma família: a humanidade.

Temos a necessidade de sonhar, nos superar, reciclar conflitos, construir relações saudáveis, contemplar o belo, amar, ser acolhido. Tais necessidades emocionais são universais.

Palestinos e judeus têm diferenças religiosas, políticas, históricas e culturais que devem ser consideradas e aplaudidas. Mas, na essência, são iguais. Quando se supervalorizam as diferenças em detrimento da semelhança, corre-se o risco de o fenômeno RAM arquivar, em frações de segundo, janelas traumáticas que perpetuam a discriminação e não promovem a inclusão social.

Uma criança com síndrome de Down, ao construir um simples pensamento, realiza uma proeza tão grande como Einstein quando produziu a teoria da relatividade. Einstein, tal como essa criança, não sabia como era capaz de entrar em sua memória, quase na velocidade da luz, e resgatar as peças que constituíram suas ideias. Uma vez que entendamos minimamente o que nos torna *Homo sapiens*, as diferenças serão minimizadas, e a inclusão social ganhará musculatura.[2]

A aeronave mental: o piloto (Eu) e seus copilotos

Somos ingênuos ao não perceber os complexos copilotos que fecham o circuito da memória, em especial o gatilho da memória e a janela killer, que impedem o Eu de usar os instrumentos de navegação para dirigir a aeronave mental.

Claustrofobia, fobia social, agorafobia, tecnofobia, timidez, sofrimento por antecipação, autopunição, perdas e frustrações, bem como todas as formas de discriminação, aprisionam o Eu no banco de passageiro na aeronave mental.

---

2. Se esse tema fizer grande sentido para você, se considerar que ele pode dar uma importante contribuição para a família humana, compartilhe-o, citando a fonte, em mensagens, blogs, redes sociais. Meu maior sonho é que ele seja publicado em todo o mundo e penetre as entranhas das mais diversas sociedades e culturas.

Não sabemos como arquivamos as experiências emocionais e intelectuais saudáveis ou perturbadoras, a não ser grosseiramente, especulando através de imagens cerebrais e pesquisas neurocientíficas. Os códigos que representam os dados que aprendemos e as experiências existenciais são eletrônicos ou atômicos. E os arquivos ou janelas são multifocais e se entrelaçam em rede. Tudo interconectado. Talvez haja mais pontes na memória do que todas as pontes em todas as rodovias do mundo.

Quando neurologistas e neurocientistas apontam, através de exames como cintilografia ou tomografia, uma região que contém emoções, como o sistema límbico, ou a linguagem, como o lóbulo pré-frontal, não apontam arquivos, mas grandes áreas que contêm milhares de janelas.

Toda imagem cerebral, por mais fina e seletiva que seja, é extremamente grosseira e indica efeitos bioquímicos provenientes de reações que surgiram a partir de inumeráveis arquivos abertos. A emoção foi determinante na construção desses arquivos, principalmente das janelas light ou killer. As janelas neutras representam a grande maioria dos arquivos mentais. Elas contêm informações secas, estímulos visuais frios e, portanto, não são impactadas pela emoção.

A emoção influencia fortemente o processo de concentração e assimilação e a qualidade dos registros que estruturam a formação da personalidade, a visão de vida, a maneira de ser e interpretar. Quanto maior for o volume emocional envolvido em uma experiência, maior será a chance de ela ser aprendida, registrada privilegiadamente e resgatada posteriormente. A educação sem emoção, teatralização e desafios não produz alto rendimento intelectual, pelo menos não duradouro – por isso, os melhores alunos na escola não serão necessariamente os profissionais mais eficientes.

Muitas crianças hiperativas não têm transtorno de déficit de atenção, como alguns médicos, psicopedagogos e psicólogos tendem a diagnosticar. Sob o ângulo da gestão da emoção, o que há é um transtorno de vinculação emocional que sintomaticamente é traduzido como déficit de concentração. Uma criança hiperativa terá uma alta concentração naquilo com que se vincular afetivamente. Todavia, como os currículos em quase todo o mundo são universais e não individualizados, acabam sendo secos e destituídos de tempero emocional para cativar alunos agitados, sejam estes hiperativos ou portadores da Síndrome do Pensamento Acelerado.

Exemplos da dança das janelas entre a MUC e a ME

Onde as experiências são registradas? Primeiro, na Memória de Uso Contínuo, que é a memória utilizada nas atividades diárias, ou a memória consciente. As experiências com alto volume tensional são registradas como janelas traumáticas ou saudáveis no centro consciente e, a partir daí, lidas e registradas continuamente. Com o passar do tempo, à medida que não são utilizadas com frequência, elas se deslocam para a imensa periferia da memória, chamada de Memória Existencial, inconsciente.

Para que você entenda melhor esse mecanismo, dou alguns exemplos. Alguém acaba de elogiá-lo. Você registra na MUC. Durante a semana seguinte, esse elogio será "lido" diversas vezes, mas, com o passar do tempo, é provável que ele deixe de ser registrado. Entretanto, esse elogio não foi apagado, e sim deslocado para a ME, e continuará influenciando a sua personalidade, porém com menor intensidade.

Outro exemplo: você acaba de dar uma conferência na qual não se saiu muito bem. Durante a preleção, não conseguiu expressar suas ideias, ficou nervoso, rubro, tropeçou nas palavras. As pessoas perceberam sua insegurança. Você registrou essa experiência traumática na MUC. Se conseguiu filtrá-la através das Técnicas de Gestão da Emoção, você se protegeu e, ainda que ela tenha sido registrada, reeditou-a ou formou um núcleo saudável ao redor dela. Entretanto, se não conseguiu proteger sua emoção, ela foi registrada intensamente. Nesse caso, será lida com frequência, produzirá milhares de pensamentos angustiantes que serão registrados continuamente, gerando uma zona de conflito. Desse modo, esse trauma dificilmente irá para as fronteiras da ME e ficará sedimentado na MUC, perturbando o Eu. Filtrar estímulos estressantes é, acima de tudo, trabalhar os papéis da memória.

A emoção determina não apenas a qualidade do registro das experiências, mas também o grau de abertura da memória. Emoções tensas podem, como vimos, fechar a área de leitura da memória, bloquear o raciocínio e levar a reagir incoerentemente. Alunos brilhantes podem ter péssimo rendimento intelectual, não acessar as informações que aprenderam por terem medo de falhar ou pela cobrança excessiva dos pais e da escola. Executivos eficientes podem ter grandes déficits de comunicação ao falar em público.

Emoções ansiosas são carrascos da racionalidade. Emoções prazerosas podem abrir as janelas da memória, inspirar e levar a escrever poesias, pintar, ter *insights* e pensar em outras possibilidades. É possível não ser escravo das críticas, vítima das injustiças, amordaçado pelas pressões, encarcerado pelos traumas. Para isso, é preciso aprender a gerir a emoção. Todavia, por termos uma mente complexa e saturada de armadilhas emocionais e janelas traumáticas, nunca seremos plenamente líderes. Mas lembre-se: ser um grande líder é renunciar à perfeição, transformar cada lágrima em uma vírgula para construir um novo texto, aproveitar cada dificuldade para se inspirar a se superar, cada crise para se motivar a escrever os capítulos mais inteligentes naqueles dias que gostaríamos de esquecer.

15

MegaTGE: Proteger a emoção

TGE 1 – Filtrar estímulos estressantes para cuidar dos ataques da memória

Filtrar estímulos estressantes é uma Técnica de Gestão da Emoção vital para proteger a memória. Ela deve ser operacionalizada tanto contra os ataques de estímulos estressantes que vêm das janelas killer – portanto, do nosso passado – quanto contra os que vêm do presente.

O território da emoção não pode ser uma propriedade sem proteção mínima, um oceano poluído, um espaço sem oxigênio. Contudo, muitos pais se preocupam mais em saber como está o rendimento dos filhos nas provas do que se eles são felizes, se têm pesadelos, se são sequestrados por algum tipo de fobia; não dão atenção ao fato de os filhos estarem ou não protegidos emocionalmente.

O mesmo acontece entre casais. Parceiros se apressam em trocar presentes em datas especiais, mas raramente se presenteiam com um diálogo profundo: "Como está sua saúde emocional?", "Está feliz?", "Tem bebido das águas da tranquilidade?", "Estímulos estressantes têm sequestrado seus sonhos e seu sono?".

Ao longo da história, nossa espécie valorizou o bem material e desprezou o essencial; exaltou os fenômenos físicos e minimizou os intangíveis. Filtrar estímulos estressantes é um fenômeno emocional básico e fundamental para ter saúde psíquica, e, ainda assim, raramente se toca nesse assunto. É um fenômeno tão básico quanto dar os primeiros passos ou falar as primeiras palavras. Mas estamos no tempo da pedra nesse quesito...

Você tomaria água sem ser filtrada ou que poderia estar contaminada? Ninguém faria isso, a não ser em uma situação extrema. Desde que descobrimos o mundo microscópico das bactérias e dos vírus – e que micro-organismos podem causar grandes infecções –, temos nos preocupado seriamente em tomar água tão pura quanto possível. Bem, agora que sabemos que o processo de arquivamento da memória é automático e involuntário, produzido pelo fenômeno RAM, e que estímulos estressantes, como perdas, contrariedades, frustrações, mágoas, rejeições, críticas, *bullying*, podem "infectar" a memória com janelas killer, poderemos filtrá-los e evitar que essas janelas sejam lidas e relidas e se multipliquem assustadoramente, como se fossem vírus, gerando núcleos traumáticos que sequestram o Eu. Esse mecanismo psicopatológico faz que uma traição, uma humilhação pública, ataques de pânico ou o uso de drogas infectem a mente.

Uma infecção viral ou bacteriana pode ser combatida com medicamentos, mas um núcleo traumático na memória não pode ser combatido com drogas, nem pode ser deletado pelo Eu, como vimos. A única possibilidade de superação é reeditar as janelas traumáticas – por meio, por exemplo, da técnica do duvidar, criticar e determinar (DCD) – ou construir janelas saudáveis ao redor do núcleo traumático – por meio da técnica da mesa-redonda do Eu. Vimos essa segunda técnica na primeira MegaTGE, que tratou da reedição e da reconstrução da memória.

Proteger a emoção a médio e longo prazo e protegê-la contra os ataques dos estímulos estressantes armazenados na memória é filtrar, ou melhor, reciclar o lixo acumulado em nosso passado. Que lixos foram depositados em seu passado? Fobias, decepções, mágoas, privações, incompreensões, solidão? Ninguém está livre dessas intempéries. Mas devemos sempre lembrar que proteger a memória significa reeditá-la ou reconstruí-la, nunca apagá-la. O inferno emocional está cheio de pessoas que desejam apagar seus traumas.

TGE 2 – Filtrar estímulos estressantes do presente para não comprar o que não lhe pertence

Já vimos como proteger a emoção contra os estímulos estressantes do passado. Mas o que podemos fazer para responder adequadamente aos estímulos do presente? A primeira coisa é aprender a não comprar aquilo que não nos pertence. Frequentemente, nossos colaboradores, filhos, cônjuge, amigos nos colocam num pequeno círculo de fogo, envolvendo-nos em atritos, críticas, problemas que nada têm a ver conosco, e acabamos "consumidos" por eles com muita facilidade. Nossa emoção não tem filtro.

Os meios de comunicação têm uma predileção por cativar o espectador com notícias sobre as misérias humanas. A mente do espectador torna-se uma esponja que absorve acidentes de avião, corrupção de políticos, ataques terroristas, formando um *pool* de janelas killer, ainda que de fraca intensidade, que desertificam pouco a pouco o território da emoção, o prazer e a leveza da vida. Esse é um dos fatores que nutrem o paradoxo da atualidade, como já comentei: nunca tivemos uma indústria do lazer tão poderosa e, ao mesmo tempo, uma geração tão triste, com emoção instável e pouco profunda.

Não faz muito tempo, ao encontrar o presidente de uma grande emissora de TV, eu lhe disse que não poucos programas televisivos prestam um desserviço à sustentabilidade emocional do espectador, pois o estimulam a comprar mazelas que não lhe pertencem. Informar-se é vital para ter consciência crítica, mas poderíamos nos informar com milhões de notícias saudáveis sobre o que acontece no teatro social, e não apenas com o lixo produzido nele.

Ressaltei que produtores e roteiristas precisavam conhecer o funcionamento básico da mente humana e o Programa de Gestão da Emoção para libertarem seu imaginário e darem um salto na criatividade. Desse modo, poderiam provocar a mente do espectador com cenas inteligentes, que exaltassem a ética, e não apenas a corrupção; que promovessem a justiça social, e não quase que somente as atrocidades; que patrocinassem a esperança, e não quase que somente o homicídio e o terrorismo. Assim a mídia seria, para além de uma fonte de informação e entretenimento, uma fonte promotora da educação dos fantasmas emocionais do espectador.

A imprensa precisa compreender os fenômenos que ocorrem nos bastidores da mente. Deve entender seu importante papel na nutrição emocional de leitores, espectadores e ouvintes. É um perigo noticiar somente as mazelas políticas ou sociais, sem comentar sobre os atores honestos que atuam nas mais diversas áreas.

Mas alguém dirá: "O espectador quer ver sangue, tem atração pelas desgraças sociais, pelo horror político e pelas crises econômicas". Ledo engano! Ao melhorar a dieta emocional, muda-se o paladar psíquico. No cinema, não é diferente. A falta de criatividade nos roteiros me impressiona. Viciamos o público nas mazelas humanas.

Sem aprender a filtrar minimamente estímulos estressantes, a memória vai se entulhando de janelas traumáticas, a emoção vai se tornando refém dessas zonas de conflito e se torna cada vez mais flutuante, lábil, mal-humorada, pessimista, insegura, encapsulada em si mesma.

No grande mercado da emoção, devemos ser compradores responsáveis. Não é preciso ter tido uma infância traumatizada para adoecer emocionalmente; basta viver sem filtro nesta sociedade estressante, seguir uma dieta emocional inadequada, e será grande a chance de ter a qualidade de vida e a felicidade roubadas.

TGE 3 – Filtrar estímulos estressantes para aumentar os níveis de tolerância a frustrações

Nada é tão vital para que o ser humano tenha saúde emocional, seja criativo, produtivo e proativo, quanto aumentar os níveis de tolerância a frustrações. Mas essa ferramenta da gestão da emoção é tão complexa que precisa ser operacionalizada em três níveis: compreender a vulnerabilidade da vida, o perdão e o autoperdão (que estudaremos a seguir) e se doar sem esperar contrapartida (que já vimos na MegaTGE sobre construir a felicidade inteligente e a saúde emocional).

Qualquer pessoa que vai assinar um contrato deve ler todas as cláusulas, incluindo as que estão nas entrelinhas. Assinar um contrato quer dizer assumi-lo, responsabilizar-se por seu cumprimento. E, de todos os contratos que você assina ao longo de sua história, nenhum é tão vago e tão profundo quanto o contrato da existência. Suas cláusulas vitais não são definidas, e sim abertas.

Risos e lágrimas, aplausos e vaias, sucessos e fracassos são parte inevitável do contrato de vida. Ter plena consciência da efemeridade e da imprevisibilidade da existência faz com que nosso Eu adquira habilidades para aumentar os níveis de tolerância a frustrações e, consequentemente, expandir as primaveras em vez de antecipar os invernos. Conduz o Eu a ser lúcido e resiliente.

Ser resiliente faz toda a diferença para a gestão e a proteção da emoção. É ser capaz de não sofrer por antecipação e, ao mesmo tempo, ter consciência de que críticas, perdas e decepções virão, até mesmo de quem não esperamos. O Eu resiliente não é pego de surpresa, pois está minimamente preparado para suportar as contrariedades da vida e manter sua integridade.

O Eu resiliente não é mórbido nem pessimista, tampouco desesperançoso. Ele sabe que a vida é bela, fascinante, plena de aventuras, mas também sabe que, às vezes, o mundo desmorona aos nossos pés e que nesses momentos devemos escrever os capítulos mais nobres de nossa história.

TGE 4 – Filtrar estímulos estressantes: o perdão e o autoperdão

O perdão é um ato solene da inteligência, um dos mais complexos fenômenos do psiquismo humano. Computadores jamais perdoarão ou pedirão desculpas. Quem perdoa com facilidade protege sua emoção e, consequentemente, sua memória.

Devemos ter em mente que perdoar não é um ato heroico nem religioso; é um ato inteligente de alguém que procura compreender o que está por trás dos comportamentos nocivos dos outros – incluindo sua estupidez, sua arrogância e seus erros – e chega à conclusão solene de que uma pessoa que fere é uma pessoa ferida. Se você não construir essa conclusão de forma sólida, as pessoas que o feriram marcarão sua memória com chamas inapagáveis.

Essa conclusão fazia parte do dicionário do mais excelente gestor da emoção da história. Há dois milênios, quando seu corpo tremulava sobre o madeiro, ele teve a coragem de proclamar: "Pai, perdoa-lhes, porque não sabem o que fazem". Sua atitude escandalosamente altruísta não tem precedente histórico. Foi única, singular, surpreendente.

Seria de esperar que mecanismos metabólicos cerebrais que envolvem hipotálamo e glândulas adrenais tivessem entrado em ação e fechado o circuito da memória do maior Mestre da gestão da emoção e o levado a reagir instintivamente, sem pensar: lutando, fugindo, sofrendo golpes de raiva ou, o mais provável, turvando sua consciência. Mas o Mestre da gestão da emoção deixou atônitas a psiquiatria e a psicologia, bem como as religiões que o seguem, ao abrir o circuito da memória e perdoar seus carrascos quando todas as células de seu corpo morriam.

As religiões cometeram erros atrozes no passado, e ainda cometem, excluindo minorias, tolhendo direitos humanos, ferindo os que pensam diferente, e o fazem porque foram claramente omissas em estudar a mente incrível do homem mais famoso da história. Para Ele, os soldados romanos não apenas cumpriam a peça condenatória de Pilatos ao açoitarem-no e aterrorizarem-no, mas eram reféns do próprio passado, sequestrados por seus traumas e sua cultura.

O Mestre da gestão da emoção estava cravado numa cruz, porém livre emocionalmente. Seus carrascos estavam livres, contudo eram escravos na própria mente. Ao compreendê-los em uma situação em que era quase impossível pensar, Ele adquiriu ferramentas notáveis para filtrar estímulos estressantes e perdoar. Ao perdoar, aliviou sua dor emocional, se protegeu. O perdão é uma ferramenta fundamental para aumentar os níveis de tolerância a frustrações. No entanto, o perdão, reitero, deve ser alicerçado pela inteligência.

Reconhecer os próprios erros e pedir desculpas é um ato solene da inteligência. Quem tem a necessidade neurótica de ser perfeito revela grande resistência a perdoar os outros e mais ainda a se perdoar, tornando-se despreparado para conviver com pessoas e para se abraçar. Lembre-se de que a primeira ferramenta para desenvolver a felicidade inteligente e a qualidade de vida é renunciar à perfeição. Enxergar-se como um ser humano em construção, sujeito a falhas, é vital para relaxar, dar uma nova chance a si mesmo e ter saúde emocional.

Devido à ação rápida do fenômeno RAM, as estratégias usadas ao longo da história foram mais do que ineficientes. Elas produziram efeitos contrários, como rejeitar, odiar, excluir, evitar, negar, tentar esquecer, se distrair. De acordo com o processo de gestão da emoção, tais estratégias, usadas à exaustão até os dias de hoje, seja em empresas, famílias ou universidades, estimulam os níveis de tensão que facilitam o registro das janelas killer.

Rejeite, odeie ou tente esquecer um momento trágico, uma pessoa agressiva ou uma situação humilhante. Você será eficiente não para eliminá-la, mas para trazê-la para tomar suas refeições junto com você e estragar seu apetite.

O maior favor que você faz a um inimigo é odiá-lo e tentar excluí-lo de sua mente, pois assim ele será registrado de forma privilegiada em sua memória e o acompanhará sempre. A maior "vingança" contra um inimigo é entender que, por ser uma pessoa ferida, ele fere o outro, é compreendê-lo e perdoá-lo de forma inteligente. Assim, ele deixa de habitá-lo como um vampiro emocional que suga sua paz.

Não há, seja na vida de um rei ou na de um súdito, na de um bilionário ou na de um miserável, céu sem tempestade nem trajetória sem acidente. Certa vez, um prefeito de uma grande cidade, uma das mais belas cidades que conheci, me disse, chorando, que não via a hora de voltar ao anonimato. Ele não suportava o peso do cargo, cobiçado por muitos políticos. Sua mente estava dramaticamente desprotegida. Ele dava o melhor de si para dirigir a cidade, porém não sabia ser autor da própria história. Tropeçava em todas as ferramentas da gestão da emoção para filtrar estímulos estressantes. Vivia sob o ataque dos fantasmas mentais cravados em sua memória, comprava o que não lhe pertencia, as críticas o sequestravam, as injúrias o invadiam. Por fim, tornou-se seu maior algoz: era superexigente consigo, não sabia relaxar e se perdoar.

Reis, celebridades, empresários e líderes, embora invejados socialmente, vivem tão estressados, que não poucas vezes sonham em trocar de vida com as pessoas mais simples. Reitero: o céu e o inferno estão muito próximos se não sabemos gerir a emoção.

16

A gestão da emoção e o importantíssimo índice GEEI

Economizar e preservar recursos para ser sustentável

Estamos na era da economia, do consumo responsável. Qualquer nação séria tem de pensar no futuro, gastar menos do que arrecada em impostos, poupar recursos para investir em infraestrutura, educação e saúde. Desperdiçar recursos ou gastá-los inadequadamente é cometer um crime contra as próximas gerações.

Do mesmo modo, um consumidor que deseja viver dias tranquilos nas sociedades capitalistas tem de saber que a presença do dinheiro não garante a felicidade, porém a falta dele garante a infelicidade, o estresse e a ansiedade. Cuidar da saúde psíquica não é apenas proteger a mente, trabalhar as perdas e mágoas, mas também saber viver dentro do orçamento e não se iludir com o consumo. Quem não tiver inteligência financeira esgotará seu cérebro e será um sério candidato a visitar psiquiatras e psicólogos.

Do mesmo modo, qualquer ser humano que deseja ter um planeta sustentável, sem escassez hídrica, insegurança alimentar, aquecimento global, deve mitigar a emissão de gás carbônico, poupar recursos naturais, reduzir o consumo de energia elétrica e de água, cuidar das florestas.

Mas e a sustentabilidade emocional – quem se preocupa com ela? Quem usa sua inteligência para poupar seus recursos psíquicos? Quem é educado para preservar e renovar a energia cerebral?

O maior erro da espécie humana é devorar não os recursos naturais do planeta, mas os recursos da mente. Primeiro, destruímos o planeta psíquico pelos altos índices de gasto de energia emocional inútil (GEEI); depois, destruímos o planeta físico. Se somos carrascos de nosso cérebro, como esperar que sejamos generosos com o planeta? Muito provavelmente, você ficará chocado com seu GEEI, um fenômeno que tem transformado as sociedades modernas em hospitais psiquiátricos e levado a uma crise na formação de pensadores, à fragmentação das relações sociais e à asfixia do desempenho profissional.

Cérebros esgotados

Você deixaria um aparelho ligado 24 horas por dia sem um mecanismo de desligamento automático? Deixaria seu veículo com o motor ligado dia e noite? Sairia de casa com o chuveiro, o ar-condicionado e a TV em funcionamento? Creio que ninguém seria irresponsável a esse ponto. Mas será que temos desligado nossa mente? Temos desconectado nosso intelecto das preocupações com o futuro? Temos procurado relaxar e contemplar o belo?

Se você acorda cansado, tem dores de cabeça, tem déficit de memória, sofre por antecipação, tem dificuldade de conviver com pessoas lentas, se irrita por pequenas contrariedades, provavelmente vem espoliando sua energia cerebral. Não sabemos preservar a saúde psíquica nem economizar o trabalho intelectual, nem mesmo o de nossos filhos e alunos. Por isso, todas as universidades deveriam estudar o índice GEEI.

São raras as pessoas treinadas para preservar recursos emocionais. Mesmo as que meditam, amam as artes e cuidam da natureza podem esgotar seu cérebro com atritos, timidez, impulsividade, perfeccionismo, hipersensibilidade a estímulos estressantes, preocupação neurótica com o que os outros pensam e falam delas. As únicas pessoas que me surpreenderam nessa minha longa jornada como profissional de saúde mental e produtor de conhecimento foram membros de tribos indígenas.

Lembro-me de uma vez em que dei uma conferência para líderes de mais de 60 tribos. Eram leitores de meus livros, com os quais aprendiam também a língua portuguesa. Quando lhes perguntei se sofriam os sintomas clássicos que comentei acima, ninguém levantou a mão. Não acordavam fatigados, não tinham sintomas psicossomáticos, não eram irritadiços nem sofriam por problemas que ainda não haviam acontecido. Fiquei intrigado e, num primeiro momento, acreditei que não estavam me entendendo. Perguntei então quem aceitaria que eu passasse uma temporada em sua tribo. Todos levantaram a mão. Nessa hora percebi como nós, em nossa bela civilização digital, estamos coletivamente estressados e responderíamos tudo ao contrário.

Vivemos em uma sociedade de consumo, agitada, tensa, pautada pela competitividade, escassa de diálogo e farta de produtos, onde o tempo é uma mercadoria de luxo. Mas essa é a sociedade em que vivemos, e temos de saber sobreviver com dignidade e reciclá-la. Reclamar só aumenta o índice GEEI. Quem reclama o tempo todo da sociedade, dos políticos corruptos, da crise econômica, da violência social e do caráter das pessoas ao redor esgota seu cérebro com maior facilidade. A palavra de ordem é proteger a emoção, se reinventar, construir uma felicidade inteligente, tornar-se um empreendedor saudável e arguto.

O capitalismo estimulou a inovação, promoveu a eficiência, expandiu a tecnologia, levando-nos a um sucesso inimaginável no mundo exterior, porém não promoveu o sucesso emocional. Nossa mente não é estável, relaxada, livre, imaginativa, resiliente, contemplativa.

Falamos com o mundo através dos celulares, entretanto não sabemos nos comunicar conosco. Trocamos ideias sobre economia, política, esporte, mas, como vimos, não sabemos ter um autodiálogo para domesticar nossos fantasmas emocionais e neutralizar nossas tensões. Fazemos seguro para proteger nossos bens materiais, porém não operamos ferramentas para segurar e proteger o maior de todos os bens: nossa emoção.

Cedo ou tarde, cerca de 50% da população mundial desenvolverá um transtorno psiquiátrico. Pesquisas revelam que 20% da população, o equivalente a 1,4 bilhão de pessoas, desenvolverá o último estágio da dor humana: o transtorno depressivo. Pior: a minoria será diagnosticada, e a minoria da minoria encontrará um bom profissional de saúde mental que, no escopo do tratamento, disponibilize instrumentos psicoterapêuticos para que seus pacientes aprendam a filtrar estímulos estressantes e gerenciar a emoção.

De acordo com a Teoria da Inteligência Multifocal, o índice GEEI, se bem aferido, pode se tornar o instrumento psicossocial mais confiável para medir a habilidade do Eu como gestor da mente humana. Ele também pode evidenciar, nos casos em que o desgaste de energia emocional é descomunal, as chances de desenvolvimento de doenças psíquicas e psicossomáticas, identificar baixos índices de tolerância a frustrações (os quais abrem as portas para a violência doméstica, o *bullying* e, principalmente no caso dos jovens, o uso de drogas).

Quanto maior for o índice, menor será a capacidade de ser líder de si mesmo, ter prazer estável, superar crises, reciclar os conflitos. Altos índices de GEEI, reitero, adoecem a mente e asfixiam a inventividade, a proatividade, a determinação, o olhar multifocal e a capacidade de se antecipar aos fatos.

De maneira oposta, quanto menor for o índice GEEI, maiores serão a saúde psíquica, o relaxamento, a tranquilidade, a autonomia, a estabilidade emocional, a capacidade de adaptação às intempéries da vida.

Medir a genialidade pelo quociente de inteligência (QI), isto é, analisando o rendimento intelectual mas negando as habilidades socioemocionais da gestão psíquica, como pensar antes de reagir e se colocar no lugar do outro, é algo completamente enviesado, distorcido e superficial. Uma pessoa pode ser genial na construção lógica do pensamento e, ao mesmo tempo, ser egocêntrica, autoritária, autopunitiva, destruidora da própria saúde emocional e devoradora da saúde dos outros.

O Quociente de Gasto de Energia Emocional Inútil (QGEEI)

Gostaria de introduzir um novo quociente, o Quociente de Gasto de Energia Emocional Inútil (QGEEI), para analisar o grau de proteção psíquica, a gestão do Eu e o consumo responsável dos recursos cerebrais. Aqueles que apresentam um QGEEI baixo são os gênios na gestão da emoção. Os gênios de que as sociedades mais precisam não são os que têm um grande armazém no córtex cerebral para registrar dados, assimilá-los e reproduzi-los. São, sim, aqueles que educam seu Eu para liderar a emoção, prevenir transtornos psíquicos e sociais, se apaixonar pela humanidade e se preocupar com a viabilidade e sustentabilidade dela.

Ao estudar os comportamentos que geram gastos de energia emocional desinteligentes, veremos que o QGEEI não é um índice marcadamente teórico, mas sim objetivo. Meu sonho é que cada vez mais médicos, psicólogos, psicopedagogos, sociólogos e *coaches* trabalhem e pesquisem esse novo instrumento.

Somos consumidores emocionais irresponsáveis

Crianças e jovens com alto índice GEEI podem comprometer seriamente não apenas sua saúde mental, mas também seu rendimento intelectual e suas funções cognitivas, como concentração, memória e elaboração do raciocínio.

Devemos aplicar as TGEs para fazer parte do time dos anormais, daqueles que poupam recursos psíquicos para irrigar uma mente livre, criativa, proativa, imaginativa, contemplativa. Amamos a liberdade. Por ela, as sociedades fizeram revoluções, cavaram túneis, promoveram greves, alavancaram movimentos sociais; entretanto, ser livre no teatro social não quer dizer necessariamente ser livre no teatro psíquico. Ter altos índices GEEI é a forma mais crua e gritante de revelar que somos prisioneiros em nossa mente.

A palavra "liberdade" está cravada nas páginas do dicionário, porém nem sempre nas páginas da história de cada um de nós. Ela é garantida pela Constituição, mas não no território da emoção. Não há liberdade concreta se consumimos energia psíquica de forma irresponsável.

Precisamos fazer um diagnóstico transparente, honesto, dos comportamentos vitais que nos esgotam. Muitos não fazem um *check-up* físico por medo de descobrir doenças. Têm uma tese ingênua de "quem procura acha". Do mesmo modo, muitos não fazem um *check-up* de sua interioridade por medo de lidar com loucuras, falhas, incoerências, imaturidade.

É preciso ter coragem para se assumir como ser humano, e não deus. Entender que pessoas calmas também têm momentos de agressividade, que pessoas amáveis também têm ataques de egoísmo e que pessoas lúcidas têm, em alguns momentos, reações irracionais.

Lembre-se de que é preciso ter disciplina para praticar a MegaTGE que promove a saúde emocional, mapeia os fantasmas mentais e nos leva a superar os conflitos. Recordemos suas ferramentas:

1. renunciar à necessidade de ser perfeito;
2. ter autoconsciência, ou seja, interiorizar-se, mergulhar dentro de si e bombardear-se de perguntas para fazer uma avaliação empírica sobre como você reage aos eventos, trabalha perdas e frustrações, constrói suas relações sociais;
3. automapear-se, isto é, diagnosticar os fantasmas mentais (fobias, obsessões, ansiedade, impulsividade) e as falsas crenças;

4. estabelecer metas claras para otimizar a energia cerebral a fim de superar os conflitos construtivamente;
5. ter foco e disciplina para construir plataformas de janelas light ou para reeditar janelas killer;
6. fazer escolhas e saber que todas elas implicam perdas.

O efeito da falta de relaxamento cerebral no índice GEEI

O cérebro humano precisa estar num estado de relaxamento basal para cumprir com maestria suas tarefas cognitivas ou intelectuais, como memorizar, concentrar-se, assimilar, pensar, raciocinar, bem como as não cognitivas ou socioemocionais, como ser autor da própria história, ser flexível, ousado, generoso, afetivo.

No entanto, as sociedades modernas não favorecem o relaxamento cerebral. Há muitos estímulos ameaçadores que nos colocam em estado de alerta; nesse estado, é preferível reagir a raciocinar, sobreviver a refletir, seja lutando contra as ameaças, fugindo ou se escondendo. Por exemplo, se você está atravessando a rua e um carro freia bruscamente perto de você, você não acena simpaticamente para o motorista e lhe deseja uma boa jornada; sua primeira reação é se afastar para realmente não ser atingido. Ou então, se você está numa loja de departamentos e um ladrão a invade e começa a disparar tiros, você não continua passeando e fazendo compras.

Em momentos altamente estressantes, seu cérebro deixa o estado basal de relaxamento, fecha o circuito da memória e produz uma revolução metabólica que conduz seu corpo ao limite, para reagir rápida e violentamente. Sinais do hipotálamo, uma nobre região cerebral, chegam às glândulas adrenais através dos nervos simpáticos, liberando os hormônios do estresse, como adrenalina e noradrenalina. O resultado? Aumento da frequência cardíaca, dando a impressão de que seu coração sairá pela boca; os pulmões começam a ventilar rapidamente, e você se sente ofegante; a pressão sanguínea e a resposta imunológica sobem. Tudo isso para exaltar sua força muscular a fim de fugir ou lutar. Nessas situações, preservar a vida é muito mais importante do que pensar, conjecturar, analisar dados. Em poucos minutos você gasta a energia que, em condições normais, gastaria em 24 horas. Porém, esse gasto não é inútil.

Por que seu cérebro tem essas reações surpreendentes? Porque, para ele, você não é mais um número na multidão, e sim um ser humano único, inigualável, insubstituível. Seu Eu pode diminuir seu valor, pode se inferiorizar diante de alguns intelectuais, menosprezar-se diante de autoridades políticas e celebridades, porém seu cérebro nunca fará isso, muito menos quando sua vida estiver em risco. Repito: para seu cérebro, ninguém é mais importante do que você; você é o centro do Universo.

Nosso cérebro sempre nos defenderá com todos os recursos que tiver, muito mais que nossos pais, filhos e amigos. Você pode ser um carrasco de seu cérebro, e ainda assim ele jamais será seu algoz; você pode trair seu sono e sua qualidade de vida, porém ele jamais o trairá. Você pode gastar energia cerebral inutilmente, mas ele, mesmo maltratado, estará sempre em vigília, protegendo-o.

Todavia, não é suportável para seu cérebro viver entrincheirado continuamente, sentir-se em constante estado de alerta ou de guerra para protegê-lo. Viver no limite do estresse para dar respostas dramáticas é importante em alguns momentos, contudo é altamente desgastante se for algo contínuo.

Por isso, momentos depois de passar por uma situação concreta de risco à vida, na qual se processaram reações dramáticas de proteção, seu corpo precisa ser aquietado: coração, pulmões e outros órgãos precisam relaxar. Para isso, outros mecanismos metabólicos poderosos entram em ação para neutralizar o processo de estresse. A região do hipotálamo libera o hormônio que estimula a corticotrofina (CRH), fazendo com que sua hipófise produza o hormônio adrenocorticotrófico (ACTH), que, através da circulação sanguínea, chega a suas glândulas adrenais (as mesmas que desencadearam a resposta rápida). Elas então produzem o cortisol, que dá um grito de alerta para os mecanismos biológicos: "Acalmem-se, ele é um sujeito de sorte, não morreu!". O cortisol abranda os mecanismos que produziram a reação violenta. Seu coração e seus pulmões começam a desacelerar. Nesse momento você respira profundamente, relaxa e comemora: "Estou vivo. Sinto que nasci de novo".

Todos esses fenômenos metabólicos ocorrem com seres humanos de todas as etnias e culturas: quando um africano está diante de um leão, um indiano se depara com um tigre, um fazendeiro encontra uma cobra, uma criança sofre uma queda, um executivo perde o emprego, alguém leva um fora, um professor é criticado publicamente, um paciente entra na sala de cirurgia, um hipocondríaco mede sua pressão sanguínea. Esse mecanismo dispara diversas vezes ao longo de nossa vida.

Mas sabe qual é o grande problema – grande, não, dramático? O cérebro é um guarda-costas ingênuo e não distingue uma ameaça real de uma imaginária. Um ataque de pânico pode ser tão aterrorizante para ele quanto um enfarto; uma crítica pode causar mais dor do que o bote de uma cobra; uma rejeição pode ferir tanto quanto as garras de um predador.

Nas sociedades modernas – urgentes, consumistas, competitivas, pouco generosas, bombardeadoras de informações –, nosso cérebro está sempre em estado de alerta. Executivos, professores, médicos, advogados andam no limite. Você anda no limite. Cérebros entrincheirados produzem altos índices GEEI, que promovem mentes esgotadas. E o pior é que, quando não temos inimigos reais, nós os criamos.

Dessa forma, os mecanismos que deveriam nos proteger em situações reais são detonados em situações psicossociais e nos perturbam. Não é sem razão que muitas pessoas têm taquicardia, sudorese, falta de ar, dores musculares, nó na garganta. Sintomas que só deveriam aparecer em situações de risco, para nos preparar para elas. A sociedade, que deveria nos proteger, se tornou uma fonte de estímulos estressantes. Nosso Eu, que deveria gerenciar a emoção e nutrir a tranquilidade, se tornou uma fonte de fantasmas mentais. Por isso, todos deveríamos educar nosso Eu para exercitar as Técnicas de Gestão da Emoção. É uma questão de sobrevivência.

Não é possível gastar energia cerebral sem sofrer desgastes emocionais, e vice-versa. O gasto irresponsável de energia emocional/cerebral é insustentável. Como tenho falado para plateias de magistrados, nunca nas sociedades livres houve tantos escravos no único lugar em que é inadmissível ser encarcerado.

Não me curvaria diante de uma autoridade política ou de uma celebridade, mas curvo-me diante dos professores, pois, para mim, eles são os profissionais mais importantes do teatro social. Mas o sistema educacional mundial, com suas devidas exceções, está doente, formando pessoas doentes para um sistema doente. Ele é excessivamente cartesiano, preponderantemente cognitivo, não treina minimamente o Eu para gerir a emoção a fim de ter um planeta cerebral protegido e saudável.

Estamos formando não apenas pessoas doentes, mas empresas, escolas, universidades, famílias, religiões cujos membros têm um gasto de energia emocional/cerebral dantesco, descomunal. As melhores pessoas estão adoecendo mais rapidamente porque, embora se preocupem com os outros, sejam éticas e generosas, colocam-se em lugar indigno na própria agenda. É tempo de você analisar crua e transparentemente o lugar em que se coloca em sua agenda.

17

MegaTGE: Gerir os comportamentos que promovem o índice GEEI

Devemos usar o passaporte da autoconsciência para viajar para dentro de nós mesmos e mapear nossos comportamentos externos e internos que expandem o gasto de energia cerebral e emocional de forma inútil e irresponsável.

Neste capítulo final, descreverei os oito tipos mais importantes de comportamento que elevam o índice GEEI às alturas e os mecanismos básicos para neutralizá-los.

Para realizar a tarefa de gerenciar tais comportamentos desgastantes, precisaremos de todas as sofisticadas Técnicas de Gestão da Emoção que vimos até agora. Sempre devemos ter em mente que não há fórmulas mágicas: a palavra de ordem da gestão da emoção, como já vimos, é educação, aliada a treinamento constante.

Diminuir o desperdício de energia biopsíquica para usá-la para expandir o índice de gasto de energia emocional útil (GEEU), que é o oposto ao índice GEEI, deve ser nossa grande meta. O índice GEEU é expresso por autonomia, autodeterminação, criatividade, ousadia, flexibilidade, psicoadaptação às intempéries, capacidade de se reinventar, filtrar estímulos estressantes, construir a felicidade inteligente, alicerçar a qualidade de vida, prevenir transtornos psíquicos, promover relações saudáveis e expandir o desempenho profissional.

Altos índices GEEI bloqueiam as funções mais importantes da inteligência socioemocional, esfacelam o índice GEEU e comprometem inclusive a concentração, a memória, o raciocínio, enfim, todo o desempenho intelectual, social e profissional. Vejamos os comportamentos que esgotam o cérebro e que são vilões da nossa saúde emocional.

Sofrimento por antecipação

O primeiro comportamento que precisa ser gerenciado por desgastar o cérebro de forma intensa e irresponsável é o sofrimento pelo futuro, a angústia por fatos que ainda não aconteceram.

A mente humana é uma usina de construção de pensamentos dialéticos/lógicos e antidialéticos/imaginários. Pensar não é uma opção do Eu; é um processo inevitável. Se o Eu não acessar a memória e produzir cadeias de pensamentos segundo uma trajetória consciente, outros fenômenos inconscientes o farão, como o gatilho, a janela da memória e o autofluxo.

Os fenômenos inconscientes que leem a memória são como "copilotos" do Eu: ajudam a pilotar a aeronave mental. Entretanto, eles podem perder sua função e causar desastres emocionais. Ou seja, os copilotos são fundamentais para a dirigibilidade da complexa aeronave mental, mas se usurpam, dominam e controlam os instrumentos de navegação, em especial o processo de leitura da memória, transformam o Eu num mero figurante e levam a aeronave a sofrer graves acidentes.

O gatilho, por exemplo, é acionado milhares de vezes por dia, abrindo janelas ou arquivos que nos fazem ter as primeiras interpretações dos estímulos que nos acometem. Todavia, quando ele se ancora numa janela killer, pode produzir pensamentos e preocupações que perturbam a psique, sequestram o Eu.

O autofluxo é um copiloto que faz leituras aleatórias na memória. Ele deveria ser a maior fonte de pensamentos e imagens mentais que promovem a inspiração, a motivação e a curiosidade. No entanto, quando superestimulado pelo excesso de informações, pode se tornar fonte de ansiedade. Nesse caso, ele começa a ler a memória numa velocidade inédita, gerando a Síndrome do Pensamento Acelerado.

Hoje em dia, muitas crianças e adolescentes sofrem por antecipação, acordam cansados, têm dores musculares ou de cabeça, além de déficit de memória. Apesar de estarem começando a vida, seu cérebro já está esgotado.

As crianças sabem mexer em computador, celular e *tablet* como ninguém, e seus pais as tratam como se fossem gênios. Não entendem que assim seus filhos alteram perigosamente o ritmo de construção de pensamentos e vivenciam altos índices GEEI, o que pode levar a déficits na construção de funções socioemocionais fundamentais, como baixa resiliência, proatividade e tolerância a frustrações. O desgaste cerebral contínuo faz com que os gênios desapareçam na adolescência e em seu lugar surjam jovens impacientes, irritadiços, inquietos, especialistas em reclamar e em querer tudo rápido e pronto.

Para neutralizar essa ansiedade crônica que se abate sobre crianças e adolescentes, pais e educadores deveriam envolvê-los mais em brincadeiras, investir no diálogo fora das redes sociais, bem como em atividades lúdicas diferentes dos *videogame*s, como pintar, tocar instrumentos, praticar esportes, colecionar objetos.

E os adultos, sofrem por antecipação? Em todos os lugares onde já dei conferências, como Israel, Romênia, Espanha, Bogotá e Estados Unidos, o desgaste de energia cerebral pelo futuro é descomunal. Muitos adultos são "mentes preocupadas", parecem carregar seu corpo, vivem fatigados, tensos, irritadiços, esquecidos.

Sofrer constantemente pelo futuro pode viciar o cérebro tanto quanto as drogas, pois faz que o hipotálamo acione frequentemente mecanismos de luta e fuga, conduzindo a mente a estar sempre em estado de alerta, entrincheirada, tensa. Cuidado! Tal comportamento promove altíssimos índices GEEI.

Toda preocupação é um sofrimento por antecipação. Algumas preocupações são legítimas, mas, quando frequentes e estressantes, transformam-se em autoagressão. Há profissionais notáveis para sua empresa, mas são autovioladores da sua qualidade de vida, são eficientes para cumprir metas, mas são péssimos para estabelecer um romance com sua saúde emocional. Preocupam-se em preservar o planeta, mas são irresponsáveis para preservar o planeta cerebral.

Provavelmente, mais de 90% de nossas preocupações em relação ao futuro geram um consumo de energia inútil porque não se materializam. E os 10% restantes, quando se concretizam, geralmente não são tão catastróficos quanto desenhamos em nosso imaginário.

O princípio da gestão da emoção está em treinar o Eu. Todos os dias, precisamos treinar nosso Eu para gerir os pensamentos, confrontá-los e impugná-los no silêncio mental. A prática do DCD e da mesa-redonda do Eu pode ser muito útil. Devemos ter plena consciência de que pensar é bom, mas pensar sem gestão é uma bomba contra a saúde psíquica.

Ruminação do passado e o resgate de mágoas

Tanto o Eu como os fenômenos inconscientes que leem a memória podem ancorar-se em janelas killer, levando-nos não apenas a sofrer inutilmente pelo futuro, mas também a ruminar o passado.

Todos os pensamentos, raciocínios, sínteses, estratégias são nutridos por informações passadas, ainda que estas tenham sido registradas há poucos segundos ou minutos. Usar o passado de forma inteligente para produzir ideias, ousadia, reflexão, sonhos, projetos de vida é de grande utilidade, porém ancorar-se nele para chafurdar na lama de perdas, críticas, calúnias, rejeições, traições, decepções é altamente desgastante. É uma violência contra si mesmo, uma punição fatal.

Quem não é capaz de sepultar seu passado não constrói seu presente, submete o aparelho mental a sofrer um consumo de energia insensato. Ser refém do passado é altamente encarcerante: preserva a dor psíquica, fomenta crises, retroalimenta a miserabilidade, promove uma eterna vitimação. Enterrar o passado através da reciclagem das janelas traumáticas não é um ato heroico do Eu, mas uma atitude possível e vital para ser um indivíduo emocionalmente livre e, desse modo, diminuir o índice GEEI.

Quem foi traído em um relacionamento amoroso e não reedita a memória gravita em torno da traição; ao se entregar a um novo romance, tem chance de cruzar o trauma passado com o amor do presente, o que pode levar ao desenvolvimento de paranoia e medo constante da perda. A pessoa fica presa à ideia de que o outro a está traindo e, consequentemente, tenta policiá-lo, controlá-lo.

Quem perdeu o emprego, foi humilhado publicamente, passou por uma crise financeira, foi zombado por sua obesidade, pela cor da pele, pela religião ou pela orientação sexual tem de reeditar as janelas killer ou zonas traumáticas que contêm as experiências estressantes. Caso contrário, o fantasma do passado poderá se tornar um núcleo traumático que o assombrará no presente, gerando timidez, insegurança, complexo de inferioridade, fragmentação da autoestima e medo da crítica social.

Lembre-se da mesa-redonda do Eu e do DCD como importantes Técnicas de Gestão da Emoção para domesticar e neutralizar os fantasmas emocionais.

Lembre-se ainda da MegaTGE que promove a proteção da emoção: preserve-se dos ataques da memória, não compre o que não lhe pertence, aumente seu limiar para frustrações e perdoe os outros e a si mesmo.

Quem não enterra seus cadáveres emocionais vive num eterno velório existencial, gastando energia emocional inútil. Quando as perdas o enredarem, quando as crises baterem em sua porta, quando alguém em quem você aposta muito feri-lo, não venda sua paz, não irrigue o sentimento de vingança, de ódio, nem a culpa, não esgote seu cérebro nem desertifique sua memória com janelas killer. Tenha sempre em mente que a maior vingança contra um inimigo é perdoá-lo; isso não resolve o problema dele, mas resolve o seu: ele deixa de ser seu algoz. Estimule seu Eu a gritar silenciosa e diariamente: "Os melhores dias estão por vir!".

Detalhismo: preocupação neurótica com detalhes

Observar os detalhes é importante, mas se perder em detalhismo é um desperdício de energia emocional, uma péssima preocupação neurótica. E toda necessidade neurótica é um desejo excessivo, superdimensionado, sequestrador da tranquilidade.

Quem valoriza picuinhas, fofocas, falatórios, críticas, atitudes alheias, pequenos problemas, seja em casa, na escola ou na empresa, perde o foco nos grandes alvos, não constrói grandes estratégias, torna-se um consumidor irresponsável de sua energia cerebral. Me surpreende a quantidade de pessoas antenadas em problemas, com uma atração irresistível por comprar aquilo que não lhes pertence; são especialistas em se contaminar com a dor dos outros, peritas em se envolver em crises e conflitos alheios. E depois não sabem a razão de viverem estressadas, cansadas, impacientes...

Sob o ângulo da gestão da emoção, em tese, um profissional em início de carreira deve valorizar detalhes; no meio da carreira, deve enfatizar os processos; já no topo, deve ser um estrategista, usar a experiência para grandes decisões. Caso contrário, nunca largará o poder, tornar-se-á uma máquina viciada em trabalhar, que vive perturbando seus colaboradores e com grande chance de enfartar ainda jovem. Não desfrutará do seu sucesso. Quem irá desfrutá-los serão seus genros, noras, filhos. Eis o exemplo máximo de uma pessoa que nunca soube ter um romance com sua qualidade de vida.

Valorizar detalhes é diferente de ter a necessidade ansiosa de detalhismo, de querer tudo sob seu controle, de não delegar nada, de ter uma autossuficiência neurótica de que é o único capaz de desempenhar eficazmente determinada função ou resolver determinado problema.

O detalhismo é uma fonte consumidora de energia cerebral. Quem é muito detalhista torna-se muito concentrador, e quem é concentrador tem seriíssima dificuldade de formar mentes brilhantes, autônomas e proativas, enfim, sucessores. Portanto, além de comprometer seu desempenho profissional e o futuro da empresa, compromete também sua saúde psíquica e se torna carrasco de seu cérebro. Você é um carrasco do seu cérebro?

Quem atua no micro afina instrumentos; quem atua no macro rege a orquestra. Aprender a entregar o bastão aos outros é uma importante Técnica de Gestão da Emoção para aliviar o detalhismo. Ninguém pode ser um grande líder social se não for maestro de sua própria mente.

Timidez: perda da espontaneidade

As pessoas tímidas estão entre as melhores da sociedade. Elas frequentemente são éticas, monitoram suas palavras e seus gestos, preocupam-se com a dor dos outros. Parecem viver num oceano emocional azul. Mas esse oceano é, na verdade, altamente turbulento e desgastante e promove alto índice GEEI.

Isso porque pessoas tímidas perdem a galinha dos ovos de ouro que preserva a energia emocional e leva o cérebro a um estado basal de relaxamento: a espontaneidade. Uma pessoa muito tímida pode, num foco de tensão, entrar numa janela killer, fechar o circuito da memória e travar o acesso do Eu a milhões de dados. Nesse caso, deixa de ser *Homo sapiens* e se torna *Homo bios* e se entrincheira, como se estivesse sob ameaça. Ser espontâneo é importante tanto para irrigar a saúde emocional quanto para expandir a criatividade.

Muitas pessoas não dão respostas brilhantes em seu trabalho não por não serem capazes, mas porque sua inteligência é sabotada pela insegurança. Isso ocorre até mesmo no esporte; o medo de falhar, a má fase, as críticas da torcida e da imprensa podem dificultar a abertura das janelas saudáveis da memória, contaminando o comando cerebral, a visão de campo e a tomada de atitudes vencedoras.

Algumas são tão inseguras que têm sudorese (transpiração excessiva, em especial nas axilas e nas mãos), a ponto de terem vergonha de cumprimentar os outros para não constrangê-los com seu suor. Têm medo de perturbar os outros, mas não se importam em se perturbar. Sem perceber, gastam uma energia emocional descomunal. Deveriam treinar dizer a si mesmas: "Às favas com o que os outros pensam de mim! Minha paz vale ouro, o resto é resto". Em hipótese alguma devem ser agressivas, porém não devem vender sua paz por um preço vil.

Timidez é um defeito no processo de formação da personalidade. Muitos pais bem-intencionados podem estimular a formação de filhos tímidos e inseguros. Julgar, comparar, silenciar e criticar excessivamente as crianças e os adolescentes são atitudes que podem produzir plataformas de janelas killer que intimidam o Eu e sequestram a espontaneidade, financiando o medo de se expressar e a preocupação excessiva com a autoimagem.

A escola clássica também pode ser uma fonte de produção de pessoas tímidas e inseguras. A distribuição dos alunos em fileiras em sala de aula e o não fomento do debate de ideias provocam o fenômeno RAM a construir plataformas de janelas traumáticas que sabotam a autonomia, a segurança e a espontaneidade. O índice GEEI, nesses casos, vai às nuvens.

Reeditando a memória, é possível resolver a timidez, reciclar a fobia social e dar um salto na capacidade de ser líder de si mesmo. Entretanto, como a memória não pode ser deletada, é necessário empregar as Técnicas de Gestão da Emoção diariamente.

Nesta era das redes sociais, há milhões de pessoas verdadeiramente escravas da timidez. Elas se comunicam por mensagens com segurança, mas bloqueiam-se em cenas interpessoais concretas. Reitero: os tímidos costumam ser pessoas notáveis, mas descuidam de seu planeta cerebral e gastam energia psíquica excessiva se preocupando com o impacto de suas palavras e suas reações.

Quando falham, atiram-se na lama da culpa. São ótimas para perdoar os outros, mas péssimas para se perdoar e relaxar. Algumas se tornam implacáveis consigo mesmas. Elas devem aprender a dar risada de alguns de seus erros, fobias e comportamentos tolos. E devem, acima de tudo, dançar sem medo e com a mente desengessada a valsa social.

TOC: ideias fixas e rituais comportamentais

A mente humana é de tal forma complexa que pode desenvolver mecanismos viciosos de leitura da memória, mesmo sem o uso de drogas psicotrópicas. Tanto o Eu como os fenômenos inconscientes que leem a memória podem se ancorar obsessivamente em determinados circuitos cerebrais que geram ideias fixas, rituais e comportamentos repetitivos.

Determinados sujeitos, por exemplo, pensam que, se não derem alguns pulos antes de abrir uma porta, alguém de sua família poderá morrer. Outros, quando falam ao telefone, têm de repetir tudo o que o outro está falando, o que torna a vida um tormento. Outros ainda precisam olhar debaixo da cama antes de dormir para ver se não há ali um ladrão – um ladrão que procuram a vida toda, mas que só existe em sua mente.

Há também os que leem todas as placas de automóvel que avistam, os que pensam que atropelaram alguém na estrada e têm de refazer o trajeto e até aqueles que têm de andar o shopping inteiro para só então entrar na loja que desejam. E não podemos nos esquecer dos que pensam fixamente em eventos graves, como sequestros e acidentes, despendendo tanta energia emocional quanto se tais eventos fossem reais.

Vivenciamos a Síndrome do Circuito Fechado da Memória quando entramos numa janela traumática, causada seja por uma ofensa, uma crise ou uma dificuldade. Já o transtorno obsessivo compulsivo (TOC) não precisa de um estímulo estressante para fechar o circuito da memória.

O mecanismo do TOC é tão autocontrolador e abundante que encarcera a pessoa numa masmorra contínua, levando-a a ter dificuldade de percorrer extensas áreas da "cidade" da memória, fixando-se em determinados "bairros". Diante desse mecanismo desgastante, o Eu perde a liberdade de ser, sentir e agir em sua própria casa, a mente.

Impugnar o lixo psíquico

Se, por um lado, não há fenômeno tão belo quanto pensar livremente, por outro, não há fenômeno tão desgastante quanto pensar sob um controle mordaz. Romper esse ciclo de controle, seja com o auxílio de medicamentos e/ou com técnicas psicoterapêuticas, é fundamental.

As MegaTGEs – especialmente a que trata da construção da felicidade inteligente e da saúde emocional e a que trata da formação de líderes – podem ser muito poderosas para reeditar a memória e desenvolver a autonomia, assim como as técnicas do DCD e da mesa-redonda do Eu. Questionar-se e impugnar o lixo psíquico é imprescindível. Enfrentar os focos de tensão obsessivos e dialogar com inteligência com os fantasmas mentais também são atitudes que podem contribuir para reeditar as janelas killer e, pouco a pouco, gerar o tão desejado autocontrole.

A vida em si já é saturada de imprevisibilidades, mas algumas pessoas potencializam os riscos, sofrem por doenças que só existem em sua cabeça.

Necessidade neurótica de mudar os outros: atritos, críticas e tom de voz exagerado

Só os mortos convivem em plena harmonia. Os vivos, por mais dosados que sejam, atritam-se, têm atitudes débeis, reações atrapalhadas, interpretações conflitantes. Viver a dois é a melhor maneira de revelar as divergências e os erros de cada um. E, em toda divergência, o Eu deveria fazer o silêncio proativo e a oração dos sábios: calar-se por fora e debater por dentro para proteger a emoção.

No entanto, o *Homo sapiens* não é um especialista apenas em pensar, mas também em querer mudar os outros. Há determinados tipos de estímulos estressantes que promovem um jogo de janelas ou arquivos no córtex cerebral, os quais se tornam verdadeiras armadilhas mentais. O tom de voz elevado, a impulsividade, a rispidez, as críticas, as comparações, a generalização fecham o circuito da memória e iniciam uma guerra que mina romances.

Algumas guerras entre casais surgem por motivos menores ainda. Os cônjuges ficam tão especializados em brigar um com o outro que o canal da TV, o volume, a temperatura do ar-condicionado, a repetição de respostas podem ser suficientes para detonar o gatilho. Se não forem recicladas, brigas e discussões formam tantas janelas killer que viciam. E esse fenômeno é passível de ocorrer com todos nós.

Casais belos e tranquilos vão perdendo a generosidade com o passar dos anos. Pais sensatos vão asfixiando sua lucidez. Profissionais inteligentes vão debelando sua serenidade. A emoção passa a dominar a razão, perde-se a racionalidade. Com o tempo, as pessoas se entrincheiram e adotam como meta fundamental mudar o outro, sem saber que ninguém muda ninguém. Todas as estratégias que usamos para isso só cristalizam o que mais detestamos naquele que queremos mudar.

A melhor maneira de transformar uma pessoa teimosa em superteimosa é tentar mudá-la, pois leva o fenômeno RAM a expandir o núcleo traumático que financia a teimosia. A melhor maneira de fazer uma pessoa tímida se sentir mais insegura é pressioná-la. Quer que uma pessoa radical se torne mais irracional? Exponha os erros dela e critique-a excessivamente. Uma das formas mais irresponsáveis de consumir energia emocional é querer mudar os outros a ferro e fogo.

Em contrapartida, se mudarmos a estratégia, ou seja, se elogiarmos cada acerto do outro, se exaltarmos cada atitude inteligente e flexível, se aplaudirmos cada gesto generoso, estimularemos a formação de janelas light na memória dessa pessoa. O resultado? Ela se reciclará por conta própria.

Brigar por coisas tolas ou guerrear por atitudes débeis suga a energia cerebral dos envolvidos. Discutir continuamente causa um desastre psíquico. O cérebro detona tanto o mecanismo de proteção e relaxamento que, por fim, vicia-se em atritar. Não é para menos que conhecemos tantos casais que brigam a vida toda e não se separam.

Quem se exaspera, grita e pressiona já perdeu: perdeu sua autonomia, sua sabedoria, sua capacidade de racionalizar recursos cerebrais e influenciar pessoas. Quem eleva o timbre de voz apela aos instintos para resolver conflitos, e não à razão. Torna-se um devorador da energia emocional de filhos, alunos, colaboradores, do parceiro e de si mesmo.

De todas as técnicas de *coaching* emocional ou de gestão da emoção para debelar comportamentos que vilipendiam o cérebro, nenhuma é tão bela quanto aprender a expor, em vez de impor, ideias e, consequentemente, dar liberdade às pessoas para que discordem, tenham opiniões diferentes, decidam seu próprio destino. Aceitar o ritmo das outras pessoas, brincar com elas, se divertir com suas características, enfim, ser solto, leve, tranquilo e lúcido são um bálsamo para a convivência social.

Quem expõe suas ideias em vez de impô-las torna-se um jardineiro da emoção, planta janelas light na memória dos outros, produz sementes inesquecíveis que os influenciam positivamente a se reciclar. Quem supera a necessidade neurótica de mudar os outros torna-se, portanto, um poeta da vida. Um dia, quando menos se espera, as sementes eclodem, produzindo uma primavera emocional insondável.

Não tente mudar o cérebro das pessoas; mude você, mude sua estratégia, poupe seu cérebro.

Agiota da emoção: cobrança excessiva e necessidade de controlar os outros

Um agiota é um contraventor social: empresta dinheiro e cobra juros exorbitantes, quase impagáveis. Já um agiota da emoção é um contraventor emocional: doa-se para seu parceiro mas cobra caro, exigindo que ele gravite em sua órbita. Critica-o excessivamente, não o deixa respirar. Os "juros" são tão caros que jamais podem ser saldados. O agiota da emoção tem grande dificuldade de exaltar a quem ama e grande facilidade de constranger e punir.

Quando, por exemplo, uma pessoa trai seu parceiro e depois se arrepende e pede uma segunda chance, eu, como psiquiatra e pesquisador do funcionamento da mente, entendo que existe uma chance de o romance dar um salto em generosidade e inclusão. Nada é tão belo quanto uma segunda chance, nada é tão poético quanto unir os fragmentos para começar uma nova história. O romance dá um salto em generosidade e inclusão.

Porém, existem homens e mulheres que dão uma segunda chance incompleta. Eles desenvolvem uma pauta de cobranças insuportáveis. Tornam-se ferinos agiotas da emoção, querem saber detalhes da traição: como se operou a sedução, como foi o beijo, o sexo. Esse processo gera uma perseguição e uma humilhação dolorosas, extrai cada gota da tranquilidade. Se essas pessoas praticassem a gestão da emoção, perceberiam que ser um agiota dos comportamentos de quem se ama é ser um carrasco.

A traição é um caso extremo, mas, no dia a dia de centenas de milhões de casais de todos os povos e culturas, há inúmeros parceiros e parceiras especialistas em cobrar um do outro. São lentos em elogiar, mas rápidos em criticar; são pobres em promover o outro, mas ricos em diminuí-lo. Todo agiota da emoção tem baixo limiar para frustrações, não suporta a mínima contrariedade.

Quem cobra demais na relação conjugal, ainda que seja bem-intencionado, está apto para trabalhar numa financeira, mas não para ter uma história de amor. Reciclar esse comportamento destruidor da energia cerebral e começar a surpreender o parceiro com mais elogios e menos críticas são os primeiros passos para reacender as chamas de um romance falido.

Na relação entre pais e filhos, também pode haver agiotagem. Há pais que se doam para os filhos, pagam-lhes escolas, dão presentes, fazem belas festas de aniversário, ensinam seu manual de ética, porém cobram caro por tudo isso. Ao mínimo erro dos filhos, despejam uma série de críticas. Não sabem relaxar, ser lúdicos, tolerar o trivial e reciclar o essencial. Em alguns momentos são permissivos, não sabem colocar limites; em outros são cobradores e explosivos, dizendo, por exemplo, que os filhos não reconhecem todo o seu esforço. Alguns pais excedem e afirmam que os filhos não os amam. Os agiotas da emoção têm tendência a pressionar muito o ser amado.

Nas empresas, também há executivos que são implacáveis agiotas da emoção. Não dão o mínimo espaço para seus colaboradores expressarem suas opiniões, se adaptarem a novos processos, se reinventarem diante dos tropeços. Cada erro é superexaltado, cada falha é superdimensionada. Esses executivos são estressadores, e não libertadores das habilidades de seus pares. Parecem deuses sentados no trono da empresa, usando a caneta como cetro para despedir quem desobedecer. Os agiotas da emoção adoecem a si, aos outros e à sua instituição.

Todo agiota da emoção cobra mudanças de comportamento, atitudes, maneira de falar, realizar tarefas, compreender fatos, reagir a dificuldades. Quer colocar todos os demais em seu ritmo alucinante. Não entende que cada ser humano é um veículo intelectual e que cada veículo tem suas particularidades. Lembre-se do que já comentei: nada estressa tanto uma pessoa rápida quanto uma pessoa lenta, e nada desgasta tanto uma pessoa lenta quanto uma pessoa rápida.

Querer que um carro acompanhe um avião é um erro grave. Nem por isso um carro deixa de ser útil. Às vezes é até mais útil do que uma aeronave, pois pode chegar a lugares onde esta não pousa. Fica mais barato emocionalmente aceitar as limitações e as características das pessoas e utilizá-las da melhor maneira possível.

Muitos profissionais poderiam, por exemplo, ser remanejados na empresa, em vez de despedidos por sua ineficiência. É possível que um profissional se dê bem em áreas nas quais jamais imaginou brilhar. Há mais mistérios entre estimular e cobrar, entre encorajar e punir, do que imagina nossa vã ciência de recursos humanos.

Há empresas que se tornam fonte da síndrome de *burnout* ou de esgotamento profissional, pois criam um ambiente desgastante e cobrador, levando seus colaboradores a apresentar altos índices GEEI. Assédio moral, pressões intensas, exigências altíssimas, críticas excessivas e sobrecarga de atividades são comportamentos típicos que fomentam a síndrome de *burnout*. Eles esgotam o cérebro, gerando depressão, ansiedade, despersonalização, negação dos problemas, flutuação emocional. Numa grande empresa, esses fenômenos estressantes podem ocorrer sem que os diretores saibam. Mapear a saúde da empresa é fundamental.

Um ambiente de trabalho com alto índice GEEI implode o prazer de trabalhar, bloqueia a criatividade, esfacela a eficiência, torna-se uma fábrica de janelas killer, uma indústria de pessoas doentes. Cobranças desproporcionais e intensas são sequestradoras não apenas das habilidades socioprofissionais, mas também da qualidade de vida.

Já se as cobranças forem acompanhadas de gestão da emoção, treinamento do Eu, reciclagem e encorajamento, promovem essas habilidades. Sob a ótica da Teoria da Inteligência Multifocal, quem cobra demais se torna um inspetor de comportamentos, um líder asfixiador – e não libertador – dos seus liderados. É um engenheiro de janelas killer no cérebro alheio. Extrai o que os outros têm de pior, cristaliza neles os defeitos que detesta. O grande sonho da gestão da emoção é que as empresas sejam canteiros de profissionais que saibam as técnicas mínimas de gestão da emoção para serem produtivos, inventivos, proativos, emocionalmente saudáveis e inteligentemente felizes.

Autoagiotas da emoção

De todas as formas de gastar energia emocional e recursos cerebrais inadequadamente, nenhuma é tão sutil e violenta quanto cobrar muito de si mesmo. Cobrar dos outros é visível; cobrar de si é intangível. Não importa se é um empresário, executivo, médico, juiz ou educador, a grande maioria é seu maior predador.

Aqueles que cobram muito de si são autocontraventores emocionais, cometem crimes contra sua qualidade de vida, seu equilíbrio mental, sua inventividade e seu prazer de viver. Estão entre os profissionais mais responsáveis do teatro social, porém não são responsáveis por preservar a própria saúde psíquica. São aplicadíssimos em suas tarefas, mas se punem quando erram. São éticos em seus comportamentos, mas não são éticos com seu cérebro, esgotam-no impiedosamente. Toleram as tolices e as falhas dos outros, mas são implacáveis consigo mesmos.

Por fim, sua dedicação fatal asfixia sua criatividade, sua motivação e sua capacidade de lutar por seus sonhos. Esses indivíduos colocam-se em lugar indigno na própria agenda: cobram demais de si, doam-se sem limites, se entregam sem controle. Os que entram nessa seara esquecem que são meros mortais que, em breve, irão para a solidão de um túmulo. Parece que desejam ser os mais ricos do cemitério. Muitos só deixam de ser cobradores implacáveis de si mesmos quando se encontram enfartados no leito de um hospital.

Os autoagiotas da emoção podem ser ótimos para os outros, mas não o são para si. Provocam o *autoburnout*: devido aos altos índices de exigência consigo mesmos, são especialistas em colocar combustível no próprio estresse profissional. Ninguém precisa pressioná-los intensamente nem cobrá-los com metas altas – eles mesmos fazem isso e, dessa forma, experimentam um índice GEEI elevadíssimo. Vivem fatigados, estressados, ansiosos, com diversos sintomas psicossomáticos e, ainda assim, não enxergam que ultrapassaram os limites. Amam a profissão ou a empresa mais do que a qualidade de vida. Esquecem que, se o cérebro falir, todo o resto desmorona.

Os autoagiotas da emoção precisam curtir mais seus filhos, seu parceiro, desfrutar da companhia dos amigos e gastar prazerosamente o dinheiro que possuem ou o sucesso que alcançaram. Seus desgastes de energia emocional revelam solenemente que são engenheiros de janelas killer, transformando sua vida num espetáculo de estresse e, por vezes, de terror, mas não de prazer.

Os autoagiotas precisam desenvolver as Técnicas de Gestão da Emoção para financiar uma felicidade verdadeiramente inteligente, uma saúde emocional consistente e uma capacidade de empreender sólida. Devem, de fato, empreender a mais notável jornada para se reinventar emocionalmente, ou seja, aprender a se aplaudir, brincar, dançar, cantar, contar piadas, ainda que ninguém ria. Devem resgatar seus mais importantes sonhos e investir neles. Devem tirar férias – se possível, fragmentá-las em três saídas de uma semana ou dez dias por ano, pois são tão viciados em trabalhar que, depois desse período, já não se suportam.

Quem cobra demais de si se torna vilão do seu cérebro. Portanto, precisa mapear seus fantasmas mentais, assumir sua falibilidade e sua fragilidade, ter autoconsciência, fazer um automapeamento, estabelecer metas claras para poupar energia cerebral, ter foco e disciplina para se superar e compreender que todas as escolhas implicam perdas. Quem quer ter o essencial deve estar preparado para perder o trivial. Sem essa práxis, ou treinamento, este livro deixa de ser uma obra de aplicação científica.

Quem cobra demais de si tem de destravar sua emoção, aliviar seu cérebro, aprender a dar risada de seus medos, brincar com suas atitudes estúpidas, renunciar à condição de ser perfeito. Deve ainda superar a necessidade neurótica de evidência social e a preocupação excessiva com o que os outros pensam e falam dele, libertando-se da masmorra da imagem social.

Seja gestor de sua mente

Algumas consequências psicossociais de quem tem alto índice GEEI:

1. bloqueio do pensamento estratégico;
2. diminuição da capacidade de negociação;
3. dificuldade de pensar a médio e longo prazo;
4. dificuldade de pensar antes de reagir, inclusive de elaborar o raciocínio complexo;
5. contração do imaginário e da criatividade;
6. facilidade de reclamar e dificuldade de se reinventar e corrigir rotas;
7. baixo limiar para lidar com frustrações e contrariedades;
8. desenvolvimento de ansiedade intensa e crônica;
9. maior chance de sofrer ataques de pânico;
10. desenvolvimento de sintomas psicossomáticos;
11. aumento do risco de hipertensão sanguínea e de enfarto;
12. desenvolvimento de doenças autoimunes;
13. fadiga intensa ao acordar e desânimo;
14. maior chance de sofrer de transtorno do sono;
15. dificuldade em aceitar o ritmo e os limites das pessoas.

Uma pessoa que não é gestora de sua mente é como um veículo desgovernado, passível de causar muitos acidentes. Há pessoas que nunca sofreram colisões ao dirigir seus veículos, que são atenciosas e cuidadosas ao volante mas que, quando contrariadas, ficam irreconhecíveis: impulsivas, ansiosas, rígidas, pessimistas, destituídas de autocontrole. Pessoas assim dirigem na contramão da avenida da emoção.

É surpreendente como executivos e colaboradores, quando entram numa reunião de trabalho para discutir estratégias, processos e metas, entrincheiram seu cérebro. Colocam 100 bilhões de células em estado de alerta, como se estivessem em guerra. Acionam mecanismos estressantes para fugir, lutar ou se esconder. Seu planeta cerebral não tem sustentabilidade. Despendem tanta energia nesse processo que sobra pouco espaço para desenvolver respostas inovadoras, construir ideias impactantes, elaborar um raciocínio complexo.

Famílias, quando se reúnem para discutir seus conflitos, estão totalmente despreparadas. As conversas valorizam mais os erros do que a pessoa que erra. Pais, filhos, irmãos não sabem se perdoar, se apoiar, se abraçar, se beijar, se encantar. Não sabem abrir o circuito da memória uns dos outros. Seu cérebro também vive em estado de alerta, e já nos primeiros minutos de discussão todos perdem a capacidade de pensar antes de reagir e colocar-se no lugar do outro.

Infelizmente, o ser humano é o maior predador dele mesmo, o mais perigoso ladrão de sua tranquilidade, o mais penetrante carrasco de seu cérebro, o maior escravizador de sua emoção.

Mudar essa dinâmica, transformar-se em seu melhor protetor, no mais forte amante de sua saúde emocional, no maior incentivador de seu potencial criativo, de sua felicidade inteligente e de sua qualidade de vida é vital.

Sob o ângulo da gestão da emoção, mesmo indivíduos bons e bem-intencionados podem ser excelentes construtores de fantasmas mentais. Aliás, o deserto mental está cheio de pessoas bem-intencionadas.

Sem gestão da emoção, os ricos se tornam miseráveis; profissionais competentes sabotam sua eficiência; pais e professores se convertem em educadores que formam repetidores de ideias, e não pensadores; amantes implodem seus mais belos romances; jovens destroem seu futuro socioemocional. Sem gerir a emoção, esgotamos o cérebro irresponsavelmente: o céu e o inferno psíquico ficam muito próximos...

Referências bibliográficas

ADORNO, T. *Educação e emancipação*. Rio de Janeiro: Paz e Terra, 1971.

CHAUÍ, Marilena. *Convite à filosofia*. São Paulo: Ática, 2000.

COSTA, Newton C.A. *Ensaios sobre os fundamentos da lógica*. São Paulo: Edusp, 1975.

CURY, Augusto. *Inteligência multifocal*. São Paulo: Cultrix, 1999.

_____. *Armadilhas da mente*. Rio de Janeiro: Sextante, 2013.

_____. *O código da inteligência*. Rio de Janeiro: Ediouro, 2009.

_____. *A fascinante construção do Eu*. São Paulo: Academia, 2011.

_____. *Pais brilhantes, professores fascinantes*. Rio de Janeiro: Sextante, 2003.

_____. *Ansiedade: Como enfrentar o mal do século*. São Paulo: Saraiva, 2013.

DUARTE, A. "A dimensão política da filosofia kantiana segundo Hannah Arendt". In: Arendt, H. *Lições sobre a filosofia política de Kant*. Rio de Janeiro: Relume Dumará, 1993.

DESCARTES, René. *O discurso do método*. Brasília: Editora da Universidade de Brasília, 1981.

FEUERSTEIN, R. *Instrumental enrichement: An intervention program for cognitive modificability*. Baltimore: University Park Press, 1980.

FOUCAULT, Michel. *A doença e a existência*. Rio de Janeiro: Folha Carioca, 1998.

FRANKL, V.E. *A questão do sentido em psicoterapia*. Campinas: Papirus, 1990.

FREIRE, Paulo. *Pedagogia dos sonhos possíveis*. São Paulo: Unesp, 2005

FREUD, Sigmund. *Obras completas.* Madri: Editorial Biblioteca Nueva, 1972.

FROMM, Erich. *Análise do homem.* Rio de Janeiro: Zahar, 1960.

GARDNER, H. *Inteligências múltiplas: a teoria e a prática.* Porto Alegre: Artes Médicas, 1994.

GOLEMAN, Daniel. *Inteligência emocional.* Rio de Janeiro: Objetiva, 1995.

HALL, Lindzey. *Teorias da personalidade.* São Paulo: EPU, 1973.

HUSSERL, L.E. *La filosofia como ciencia estricta.* Buenos Aires: Editorial Nova, 1980.

JUNG, Carl Gustav. *O desenvolvimento da personalidade.* Petrópolis: Vozes, 1961.

KAPLAN, Harold I., Sadoch Benjamin, J., Grebb Jack, A. *Compêndio de psiquiatria: Ciência do comportamento e psiquiatria clínica.* Porto Alegre: Artes Médicas, 1997.

KIERKEGAARD, Sören Aabye. *Diário de um sedutor.* Coleção Os Pensadores. São Paulo: Abril, 1989.

LIPMAN, Matthew. *O pensar na educação.* Petrópolis: Vozes, 1995.

MASTEN, A. S. "Ordinary magic: resilience processes in development", *American Psychologist*, 56 (3), 2001.

MORIN, Edgar. *Os sete saberes necessários à educação do futuro.* (Relatório feito a pedido da UNESCO). São Paulo: Cortez/Unesco, 2000.

MUCHAIL, Salma T. "Heidegger e os pré-Socráticos". In: MARTINS, Joel; DICHTCHEKENIAN, Maria Fernanda S. F. Beirão (orgs.). *Temas fundamentais de fenomenologia.* São Paulo: Moraes, 1984.

NACHMANOVITCH, Stephen. *Ser criativo: O poder da improvisação na vida e na arte.* São Paulo: Summus, 1993.

PIAGET, Jean. *Biologia e conhecimento.* 2ª ed. Petrópolis: Vozes, 1996.

SARTRE, Jean Paul. *O ser e o nada: Ensaio de antologia.* Petrópolis: Vozes, 1997.

STEINER, Claude. *Educação emocional.* 2ª ed. Rio de Janeiro: Objetiva, 1997.

PINKER, Steven. *Como funciona la mente.* Buenos Aires: Planeta, 2001.

YUNES, M. A. M.; Szymanski, H. "Resiliência: noção, conceitos afins e considerações críticas". In: Tavares J. (Org.) *Resiliência e educação.* São Paulo: Cortez, 2001.

Escola da Inteligência

Imagine uma escola que ensina não apenas a língua a crianças e adolescentes, mas também o debate de ideias, a capacidade de se colocar no lugar do outro e de pensar antes de reagir para desenvolver relações saudáveis. Uma escola que não ensina apenas a matemática numérica, mas também a matemática da emoção, onde dividir é aumentar, e também ensina a resiliência: a capacidade de trabalhar perdas e frustrações. Continue imaginando uma escola que ensina a gerenciar pensamentos e a proteger a emoção para prevenir transtornos psíquicos. Pense ainda numa escola onde educar é formar pensadores criativos, ousados, altruístas e tolerantes, e não repetidores de informações.

Parece raríssimo, no teatro das nações, uma escola que ensine essas funções mais complexas da inteligência, porém agora há um programa chamado Escola da Inteligência (E. I.), que entra na grade curricular, com uma aula por semana e rico material didático, para ajudar a escola do seu filho a se transformar nesse tipo de escola.

O dr. Augusto Cury é o idealizador do programa Escola da Inteligência. Vamos às lágrimas ao vermos os resultados em mais de 100 mil alunos. Há dezenas de países interessados em aplicá-lo. O dr. Cury renunciou aos direitos autorais do programa E. I. no Brasil para que este seja acessível a escolas públicas e particulares e haja recursos para oferecê-lo gratuitamente a jovens em situação de risco, como os que vivem em orfanatos. Converse com o diretor da escola do seu filho para conhecer e adotar o programa E.I. O futuro emocional do seu filho é fundamental.

Para obter mais informações e conhecer as escolas conveniadas da E. I. mais próximas de você, acesse:

www.escoladainteligencia.com.br ou ligue para (16) 3602-9420.

Academia de Gestão da Emoção

A produção de conhecimento do dr. Augusto Cury e as suas decisões não têm apenas impactado leitores de muitas nações, mas também têm sido assunto da grande mídia. Seu mais novo projeto, que vem sendo desenvolvido nos últimos dez anos, é a Academia de Gestão da Emoção on-line. Trata-se da primeira academia de gestão da emoção do planeta; uma escola digital com programas gratuitos e projetos sociais fascinantes, com foco na prevenção do *bullying*, do suicídio e no fim da ditadura da beleza.

A academia também oferece cursos e seminários de Coaching de Gestão da Emoção. Nesse projeto, você aprenderá as ferramentas mais importantes para gerenciar a sua mente, superar os cárceres mentais e ser autor de sua história!

Para conhecer mais o projeto, acesse:
www.omelhoranodasuahistoria.com.br

#Augustocury #omelhoranodasuahistoria
#academiadegestaodaemocao
#4semanasparamudarasuahistoria